Bella Andre

Um Olhar de Amor

Não há limites, não há fronteiras,
não quando o amor está
por trás de cada beijo.

Tradução

Bárbara Menezes

Editora Novo Conceito

Publicado sob acordo com o autor, c/o BAROR INTERNATIONAL, INC.,
Armonk, New York, USA

Esta é uma obra de ficção. Nomes, personagens, lugares e acontecimentos descritos são produtos da imaginação do autor. Qualquer semelhança com nomes, datas e acontecimentos reais é mera coincidência.

3ª Impressão — 2013

Edição: Edgar Costa Silva
Produção Editorial: Tamires Cianci
Preparação de Texto: Lizete Mercadante Machado
Revisão de Texto: Alline Salles, Lívia Fernandes
Diagramação: Futura
Capa: Jorge Parede
Impressão e Acabamento RR Donnelley

Este livro segue as regras da Nova Ortografia da Língua Portuguesa.

Dados Internacionais de Catalogação na Publicação (CIP)
(Câmara Brasileira do Livro, SP, Brasil)

Andre, Bella
Um olhar de amor / Bella Andre ; tradução Bárbara Menezes. -- Ribeirão Preto, SP : Novo Conceito Editora, 2012.

Título original: The look of love.
ISBN 978-85-8163-115-8

1. Ficção norte-americana I. Título.
12-10896 CDD-813

Índices para catálogo sistemático:
1. Ficção : Literatura norte-americana 813

Rua Dr. Hugo Fortes, 1.885 — Parque Industrial Lagoinha
14095-260 — Ribeirão Preto — SP
www.editoranovoconceito.com.br

CAPÍTULO UM

Era bom estar na estrada. É claro, pensou Chase Sullivan, que os limpadores de para-brisa mal faziam diferença sob a forte chuva daquela estranha tempestade de final de maio, mas já havia passado da hora de ele sair da festa de 70 anos da mãe.

Todos os oito irmãos e irmãs juntos sob o mesmo teto eram sinônimo de muitas risadas, várias provocações... e pelo menos umas duas discussões sérias. Também não ajudara nem um pouco o fato de a acompanhante de Zach ter saído com Gabe alguns meses antes.

Junte seis irmãos com idades entre 27 e 36 e com certeza haverá confusão. Porém, como estava claro que nenhum dos dois irmãos queria um relacionamento sério com a garota, não havia chance de eles se baterem por qualquer outro motivo que não fosse descarregar um pouco de energia com uns socos. Além disso, assim que Smith apareceu, a moça ficou tão admirada que não deu atenção para mais ninguém.

Chase sempre ria da maneira como as pessoas perdiam o controle com a presença do irmão que era astro do cinema. Smith era tão normal quanto todos os outros. Bem, talvez ter um iate de 45 metros frequentado por estrelas não fosse exatamente normal.

De qualquer forma, o motivo de a festa estar à beira de uma implosão era que suas irmãs gêmeas não estavam se falando. E elas não precisavam dizer uma palavra, bastava ver os olhares maldosos que uma lançava para a outra de cada lado da sala.

Havia muito tempo, ele apelidara Lori e Sophie de Mazinha e Boazinha. Se não fosse pelo fato de serem cópias idênticas fisicamente, Chase não acreditaria que faziam parte da mesma família. O estranho tinha sido que dessa vez na festa, Boazinha era quem parecia querer matar Mazinha. Se não estava enganado, Lori chegara até a se esconder de Sophie certa hora.

Ainda bem que tinha um motivo para sair de lá antes de elas começarem a puxar os cabelos uma da outra, Chase pensou ao fazer uma curva na estrada cada vez mais estreita que levava ao vinhedo Sullivan, na região vinícola de Napa Valley.

Pelos quatro dias seguintes, faria uma sessão de fotos no vinhedo do irmão para a Jeanne & Annie, uma marca de roupas que vinha crescendo rapidamente e combinava a alta costura com o estilo caseiro. As modelos e a equipe ficariam na cidade, mas Chase iria para a casa de hóspedes de Marcus.

Um raio iluminou o céu e, se houvesse acostamento suficiente na estrada, Chase teria parado para tomar um pouco de chuva. Ele adorava a chuva. O tempo fechado mudava a aparência do mundo, podia transformar um campo comum em um charco com milhares de pássaros em um *pit stop* improvisado. O clima que deixava a maioria dos fotógrafos em desespero — principalmente se dependiam do pôr do sol perfeito para arrasar nas fotos — era exatamente o que lhe dava energia.

Era naqueles momentos, quando todo mundo estava com frio e nada "dava certo", que a mágica acontecia. As modelos enfim baixavam a guarda e o deixavam enxergar para além da beleza maquiada e ver quem elas realmente eram. Chase acreditava que era preciso existir uma verdadeira ligação emocional com a câmera para que a beleza real, emoldurada pelas roupas ou joias ou sapatos que as modelos usavam, aparecesse.

É claro que, no começo da carreira, estar cercado de tanta beleza física fez de Chase um conquistador como todos os outros homens heterossexuais do mercado. No início, tinha sido um dos bônus do trabalho, mas, quando chegara aos 20 e tantos anos e percebera que o gosto da noite não durava muito, enquanto suas fotografias seriam eternas, Chase diminuiu um pouco o ritmo.

Por causa de suas viagens recentes de ida e volta da Ásia e também por não ter encontrado ninguém que o animasse, acabou mantendo a abstinência por cerca de um mês. Estava planejando sair do período de seca naquela noite com Ellen, uma das principais gerentes de Marcus, que Chase vira brevemente enquanto definia os detalhes para a sessão de fotos. Uma noite de diversão e nudez sem compromisso era exatamente o remédio de que precisava.

A ansiedade quase o impediu de notar a luz trêmula à direita da estrada. Nos últimos trinta minutos, não havia passado por nenhum carro, pois, em uma noite como aquela, a maioria dos californianos lúcidos, que não tinham ideia de como dirigir com segurança com o clima ruim, ficava em casa.

Chase diminuiu a velocidade e acendeu os faróis altos para enxergar melhor com tanta chuva. Não apenas havia um carro na vala, como uma pessoa caminhando sozinha no canto da estrada cerca de 90 metros à frente. Ela provavelmente ouviu o carro se aproximar e virou-se para olhá-lo, e Chase pôde ver o movimento dos longos cabelos molhados em torno dos ombros da moça sob a luz dos faróis.

Enquanto se perguntava por que ela não estava sentada dentro do carro, seca e aquecida, ligando para o serviço de emergência da estrada e aguardando pelo socorro, ele parou o carro no canto da pista e saiu para tentar ajudá-la. Ela tremia enquanto o observava se aproximar.

— Você está ferida?

Ela cobriu um lado do rosto com uma das mãos, mas balançou a cabeça.

— Não.

Ele teve de se aproximar mais para escutá-la com o barulho da água que atingia o asfalto e rapidamente estava se transformando em granizo. Embora tivesse desligado os faróis, já que seus olhos logo se acostumaram à escuridão, conseguiu observar com atenção o rosto dela.

Chase sentiu um aperto no peito.

Apesar dos longos cabelos colados ao rosto e ao peito, e "rato molhado" fosse uma boa expressão para descrever-lhe a aparência, a beleza da mulher o impressionou.

Em um instante, seus olhos de fotógrafo analisaram os traços dela. A boca era um pouco grande demais; os olhos, um pouco separados no rosto. Ela não chegava nem perto da magreza das modelos, mas, pela maneira como a camiseta e o jeans colavam em sua pele, ele pôde perceber que ela aproveitava bem suas tentadoras curvas. No escuro, não podia adivinhar-lhe a cor exata dos cabelos, mas pareciam de seda, perfeitamente macios e lisos no ponto em que lhe cobriam os seios.

Foi apenas quando Chase a ouviu dizer "meu carro está bem danificado, no entanto" que ele percebeu que perdera por completo a ideia do que pretendia fazer ao estacionar e ir ao encontro dela.

Como sabia que estivera bebendo a imagem daquela mulher como se morresse de sede, esforçou-se para recuperar o equilíbrio. Já podia ver que o carro dela levara a pior. Não era necessário um mecânico como seu irmão Zach para concluir que o horroroso carro *hatch* estava beirando a perda total. Mesmo se o para-choque dianteiro não estivesse quase aos pedaços por ter batido na cerca branca de uma fazenda, os pneus carecas nunca conseguiriam tração na lama. Não naquela noite, de qualquer forma.

Se o veículo estivesse em uma situação menos precária, ele provavelmente diria para ela permanecer dentro dele enquanto tentaria tirá-lo de lá. Porém, um dos pneus traseiros estava pendurado na borda da vala.

Chase fez um movimento com o polegar na direção de seu automóvel.

— Entre no meu carro. Podemos esperar lá por um guincho.

Teve a vaga sensação de que as palavras soaram como uma ordem, mas o granizo começava a machucar, maldição! Os dois precisavam sair da chuva antes que congelassem.

Porém, a mulher não se mexeu. Em vez disso, lançou-lhe um olhar que parecia dizer que ele era completamente maluco.

— Não vou entrar no seu carro.

Ao perceber o quanto devia ser assustador, para uma mulher, ficar presa e sozinha no meio de uma estrada escura, Chase afastou-se um pouco dela. Tinha de falar alto para ela ouvi-lo em meio ao granizo.

— Não vou atacá-la. Juro que não farei nada para machucá-la.

Ela só faltou se encolher ao ouvir a palavra "atacá-la" e Chase ficou alerta. Ele nunca fora um ímã para mulheres problemáticas, não era o tipo de homem que gostava de salvar passarinhos feridos. Porém, como tinha vivido com duas irmãs por muito tempo, sempre podia adivinhar quando alguma coisa estava errada.

E alguma coisa com certeza estava errada com aquela mulher, além do fato de o carro dela estar praticamente preso em uma vala lamacenta.

Como queria fazê-la se sentir segura, ele ergueu as mãos.

— Juro pela alma do meu pai que não vou machucá-la. Pode entrar no meu carro.

Ela não recusou imediatamente e ele aproveitou essa vantagem, acrescentando:

— Quero apenas ajudá-la.

E ele queria mesmo. Queria mais do que seria normal com uma desconhecida.

— Por favor — insistiu. — Deixe-me ajudá-la.

Ela o observou por bastante tempo. O granizo caía entre eles, ao redor deles, sobre eles. Chase percebeu que prendia a respiração, esperando a decisão dela. Não deveria se importar com o que ela fizesse. No entanto, por algum estranho motivo, ele se importava.

Chloe Peterson nunca se sentira tão molhada, tão infeliz… nem tão desesperada. Tinha corrido acima do limite de velocidade pelas últimas duas horas, antes de a tempestade chegar com força total. Havia desacelerado bastante sobre o asfalto extremamente escorregadio, mas os pneus do seu carro estavam velhos e carecas e, antes que percebesse, o automóvel deslizara para fora da pista.

Direto para uma vala lamacenta.

Talvez tivesse sido mais fácil (e inteligente também) ficar sentada dentro do carro e esperar a tempestade passar. Porém, estava agitada demais para ficar parada. Precisava continuar em movimento ou os pensamentos que rodeavam sua mente iriam alcançá-la; assim, jogou a mochila nos ombros e saiu para a chuva, no momento em que começou a cair o terrível granizo.

As pedrinhas machucavam-lhe a pele, mas ela gostava do frio, da dor, pois lhe davam algo em que prestar atenção em vez do que lhe acontecera poucas horas antes.

Ela não tinha certeza de onde se encontrava — ou para onde estava indo —, mas esperava estar caminhando em direção à cidade.

Durante toda a noite, as estradas se mantiveram estranhamente vazias, porém, mal havia começado a andar, percebera luzes vindo atrás dela.

O medo a assaltou novamente quando o carro estacionou, e ela precisou parar e se preparar para enfrentar a situação. Estava sozinha em uma estrada de interior escura e molhada. Não estava com o celular e, mesmo que estivesse, duvidava que houvesse sinal suficiente no meio daquela chuva.

E, depois, um homem... Um homem grande... Havia saído de um carro e caminhado em sua direção, dizendo-lhe para entrar no automóvel dele.

De jeito nenhum.

Ele tentara convencê-la de que ficaria segura com ele. Tinha dito todas as palavras certas, mas Chloe tinha muita experiência com pessoas assim, que diziam com facilidade uma coisa e, depois, faziam outra.

— Não o conheço — ela disse.

Ele podia ser um assassino, podia ter um machado escondido no carro. Não, iria a pé. Caminharia e encontraria um lugar para se secar mais tarde.

Pôde ver a frustração estampada no rosto dele, sabia que o homem iria tentar convencê-la de novo quando, de repente, o barulho de pneus derrapando chegou até os dois. Antes que entendesse o que estava acontecendo, ele a estava puxando para junto de si. Não teve tempo de pensar em lutar contra ele, nem cogitou isso quando percebeu uma motocicleta em alta velocidade quase em cima deles.

Fechou os olhos, preparando-se para o impacto, quando o homem, sem esforço, levantou-a e pulou na vala, segurando-a com força.

Ela abriu os olhos bem a tempo de ver o pneu traseiro da motocicleta deslizar e finalmente parar no mesmo ponto onde estiveram um momento antes. Seu coração, que quase tinha parado, começou a bater rapidamente de novo, enquanto via a moto se afastar com velocidade.

— Você está bem?

Chloe olhou para o homem que a havia protegido do perigo com o próprio corpo e, pela primeira vez desde que ele saíra do carro, ficou impressionada ao perceber o quanto ele era bonito.

Não, ela admitiu em silêncio para si mesma. "Bonito" era uma palavra insignificante para um homem como aquele. Mesmo na escuridão, podia ver que ele faria todos os outros homens parecerem insignificantes. Tão alto quanto ela pensara no início, mesmo na chuva fria. Ele era absolutamente maravilhoso.

E o corpo dela estava reagindo com um calor surpreendente.

Ou, talvez, percebeu de repente, aquele calor viesse porque ele ainda a prendia entre seus braços fortes.

A maneira como ele a havia tirado do caminho da motocicleta acabara com sua desconfiança. E, em qualquer outra noite, talvez tivesse sido o suficiente. Mas seria mesmo?

Os dois estavam salpicados de lama por terem caído no barro. Ela se esforçou para se levantar, tentar organizar as ideias e, assim, chegar a algum tipo de decisão racional.

— Espere um minuto — ele disse. — Deixe que tiro você daqui.

Alguns momentos depois, ele a colocou na lateral da estrada.

— Não é seguro ficar aqui. Para nenhum de nós.

O bom senso lhe dizia que ele estava certo e, ainda assim, continuava cautelosa. Inacreditavelmente cautelosa. Porém, naquele momento, que outra escolha poderia ter?

Pensando de novo na maneira como ele a tinha salvado do perigo, Chloe por fim concordou:

— Certo. Vou com você.

Esperava de verdade não se arrepender dessa escolha.

CAPÍTULO DOIS

Graças a Deus, pensou Chase quando ela finalmente concordou em ir com ele. Aquela motocicleta lhe dera um susto de parar o coração. Não tinha pensado, tinha apenas agido para salvar a moça. Salvar os dois.

Seu instinto de cavalheiro o fez estender a mão para pegar a mochila dela.

Ela logo deu um pulo para trás.

— Por favor, não. — Disfarçou aquele rápido ataque de medo e moderou a voz: — Eu posso carregar minha mochila, obrigada.

A maneira como ela havia saltado para longe do alcance dele poderia ferir o ego de um homem. Ao mesmo tempo, Chase sabia que era apenas bom senso uma mulher manter a guarda diante de um cara estranho em uma situação como aquela.

Infelizmente, enquanto ela andava até o carro, não conseguiu desviar os olhos das suas doces curvas. Porém, qualquer homem com irmãs mais novas, em especial duas meninas bonitas que se metiam em mais encrencas do que ele gostava de lembrar, presta muita atenção no modo como tratar as mulheres. Ele e os irmãos podiam gostar de se divertir — e muito —, mas nenhum deles agarraria uma mulher à força. Não, preferiam que as mulheres implorassem por eles.

E não era o momento de pensar em sexo. Não quando tinha uma mulher semiafogada nos braços... bem, no seu carro pelo menos, já que ele prometera que suas mãos não chegariam nem perto dela.

Mesmo sabendo que os bancos de couro nunca mais seriam os mesmos depois de ficarem cheios de água e lama, Chase abriu a porta do lado do motorista e deslizou para dentro. O vapor subiu das roupas deles e condensou-se nas janelas, deixando o carro com um clima ainda mais íntimo. Chase não pôde deixar de notar que a passageira-surpresa tinha um aroma muito bom, como o de chuva e flores recém-abertas.

— Para onde estava indo? — ele perguntou.

Em vez de responder a pergunta, ela pediu:

— Se você pudesse me levar até o motel mais próximo, seria ótimo. — Fez uma pausa e, depois, acrescentou: — Um lugar barato seria melhor.

Ao ver seus planos para aquela noite serem levados pela chuva minuto a minuto — e também ao tentar reprimir a forma como o aroma dela estava deixando seus sentidos malucos —, Chase acabou oferecendo, com uma voz mais áspera que de costume:

— Olha, tenho um lugar grátis para você passar a noite. Poderemos ligar para o serviço de emergência da estrada de lá.

Seria melhor esperar até que ela estivesse seca e aquecida para dar a notícia de que, mesmo que o serviço de emergência da estrada pudesse tirar o carro dela da vala, era provável que não conseguisse fazê-lo funcionar de novo.

— Obrigada pela oferta — ela respondeu, ainda com um tom de cautela, mas firme. — Um motel está ótimo, de verdade. — Encolheu os ombros, era uma sombra em movimento no interior escuro do carro. — E não se preocupe em ligar para o serviço de emergência. A esta altura, eu devia deixar meu carro na vala.

A exaustão expressa na voz dela parecia brigar com uma incrível disposição interior. Embora fosse óbvio que não tinha dinheiro para lidar com a situação, não ficou se lastimando.

Chase sabia que deveria apenas levá-la a um motel, ela já tinha pedido isso mais de uma vez até aquele momento. No entanto, não iria deixá-la em um motel sujo, de jeito nenhum. Não se quisesse poder olhar para si mesmo no espelho pela manhã sem ver a palavra *canalha* escrita na testa. Além disso, seus instintos lhe diziam que ela precisava de mais ajuda do que uma carona até um motel.

Chase aprendera cedo com a mãe e as irmãs que não deveria contrariar as vontades de uma mulher. Ele não tinha dúvidas, a moça ia ficar furiosa com o que estava prestes a fazer.

Mas nada disso, nem as sirenes de alerta que soavam em sua mente, foi suficiente para demovê-lo da ideia de que precisava ajudá-la de alguma maneira.

Girou a chave no contato e, enquanto voltava com cuidado para a estrada, deu-se conta de que não sabia o nome dela. Já que a estava levando para o calor e o conforto da grande casa de hóspedes do vinhedo do irmão (quisesse ela ou não), pensou que algumas formalidades não seriam má ideia.

— Meu nome é Chase Sullivan.

Nenhum som veio do banco do passageiro e, inexplicavelmente, ele se viu tentando conter um sorriso malicioso. Quando fora a última vez que uma mulher não havia se jogado nos seus braços? Mas aquela não tinha lhe dado nem uma informação sequer, tinha? Nem seu nome, nem para onde estava indo.

Algo grave com certeza estava acontecendo. Seria muito melhor se deixasse para lá e levasse a mulher a um motel para poder ter sua noite de sexo vazio com Ellen no vinhedo. Então, por que não fazia isso?

E por que sentia-se estranhamente atraído por essa completa estranha?

Deixou o silêncio pairar entre os dois, sabendo que ela só responderia se estivesse confortável o suficiente com ele para fazê-lo.

Por fim, ouviu-a falar:

— Meu nome é Chloe.

Um nome bonito. Seria normal comentar, mas ela vinha se mostrando tão sensível que poderia entender errado. Também reparou que ela não havia dito o sobrenome.

Ela esticou o pescoço para olhar pela janela para uma placa mal iluminada.

— Aonde você está indo? — perguntou em pânico. — A cidade fica na direção contrária.

Por sorte, naquele momento ele viu a placa do Vinhedo Sullivan, apertou o botão do controle remoto para abrir os portões e começou a subir o estreito caminho.

— Chase. — A voz dela tinha um tom forte de alerta, mas isso não o impediu de gostar da maneira como seu nome soava em seus lábios. — Eu pedi para me levar a um motel.

Ele pensou nas diferentes maneiras como poderia responder, se deveria pedir desculpas ou tentar acalmá-la. Porém, como percebeu que ela não engolia sua conversa como a maioria das mulheres, apenas disse:

— A casa de hóspedes fica mais perto. E é mais agradável também.

Ela fez um som mal disfarçado de irritação.

— Você sempre ignora o que as pessoas querem e faz o que lhe dá na telha?

Mais uma vez, havia várias respostas possíveis, mas apenas uma sincera.

— Basicamente sim.

— Sua mãe deve ficar muito orgulhosa — Chloe falou, com sarcasmo.

Ele gostava da forma como as palavras lhe escapavam, conforme ela ficava um pouco mais confortável com a ideia de estar no carro dele, mas, um instante depois, a julgar pelo jeito como se mexia desconfortável no banco, percebeu que ela estava preocupada com a resposta mal pensada que dera.

Com o tom mais descontraído que conseguiu, ele comentou:

— Por sorte, eu tenho cinco irmãos e duas irmãs bravas para distraí-la.

Esperava que ela soltasse outra resposta espontânea ao ouvir aquela informação e ficou feliz quando ela se virou na direção dele e perguntou:

— Você está brincando, não é?

— Não. Oito no total. — Ele tirou os olhos da estrada por tempo suficiente para sorrir para ela.

Ela balançou a cabeça.

— Sua mãe deve ser uma santa.

Ótimo. Ele conseguira distraí-la por algum tempo, o bastante para estacionar atrás da casa de hóspedes. E, dessa vez, ela não parecia preocupada com o que havia dito... Ou com a reação que ele poderia ter.

— Olhe — falou, com delicadeza —, eu sei que você preferia estar em outro lugar, mas meu irmão é o dono deste vinhedo e não acho que faça sentido pagar por um quarto porcaria em um motel barato à beira da estrada quando temos cinco quartos vazios aqui.

— Eu não o conheço — ela repetiu.

— Eu sei. E, acredite, se você fosse uma das minhas irmãs, eu não ia querer que você confiasse em um cara que encontrou na beira da estrada no meio de uma tempestade.

Chase reparou que ela ficou surpresa com a maneira como ele concordava com sua desconfiança.

— Por isso, vou acomodá-la aqui e, depois, vou para a casa do meu irmão do outro lado da propriedade.

Esperou que ela dissesse "não" de novo. E a verdade era que, se ela insistisse em ir para um motel, em vez de jogá-la por cima do ombro e acorrentá-la a uma das camas da casa de hóspedes, teria de fazer como ela queria.

Ele afastou a chama de desejo que tentou atravessá-lo com a imagem de amarrá-la à cabeceira da cama. Deus sabia que, se ela visse o efeito que causava nele naquele momento, começaria a arranhar a porta do carro para poder fugir correndo e gritando até a cidade.

— Então — ela disse devagar, articulando bem a palavra, o que teve o resultado infeliz de atrair os olhos dele para seus lábios cheios e expressivos.

Meu Deus, ela devia ser uma das mulheres mais lindas que ele vira em meses. Anos, talvez. E mulheres bonitas eram seu trabalho.

— Você não vai ficar comigo?

Ah, finalmente. Era a primeira vez que ela não discutia com ele ou dizia que não podia ficar ali. Para aproveitar o momento, Chase insistiu:

— Vou apenas ajudá-la a se acomodar e irei para a outra casa passar o resto da noite.

Antes de ela poder mudar de ideia, tentou pegar a mochila dela, mas ela se virou e abriu a porta do carro, saindo para a chuva sem que ele pudesse ajudá-la com aquela maldita coisa. Por algum motivo maluco, carregar a mochila tinha se tornado uma obsessão para ela. E ele queria que ela confiasse nele o suficiente para aceitar ajuda.

Ela correu para a varanda coberta. A governanta do irmão dele tinha deixado a luz da frente acesa para a sua chegada e ele foi presenteado com a melhor imagem de Chloe até então. O cabelo, que tinha começado a secar um pouco no carro, parecia mesmo de seda, tão brilhante que ela poderia ganhar muito dinheiro em comerciais de xampu. Ela tinha um corpo maravilhoso. Não era magra demais, tinha lindas curvas que faziam os dedos dele coçarem de vontade de tocá-la.

Que havia de errado com ele? Tinha de parar de pensar nela daquela maneira. Ele a levara até a casa do irmão para livrá-la de um problema, não para livrá-la das roupas.

Enquanto ela o esperava na varanda, com uma das mãos segurando a mochila e outra tapando aquele ponto acima da bochecha direita de novo, Chase perguntou-se por que ela sempre escondia o rosto daquele jeito. Tinha um mau pressentimento.

Como sabia que ela não se sentiria mais confortável se a ficasse encarando com as sobrancelhas franzidas, tentou se concentrar na maneira como a luz da varanda a banhava com um brilho fraco. Decidiu tirar algumas fotos das modelos, na noite seguinte, bem naquele lugar. Subiu os degraus e caminhou na direção da porta da frente.

— Vamos entrar e nos aquecer.

Segurou a porta aberta para ela e ouviu-a murmurar "pelo menos sua mãe lhe ensinou alguma coisa", ao passar.

O aroma de Chloe envolveu-o novamente, em um golpe de sensualidade. O problema era que ela era uma mulher maravilhosa e ele, um homem que adorava mulheres maravilhosas. Para piorar, a mochila bateu no batente da porta e empurrou seu quadril contra a virilha dele. Ele mal conseguiu reprimir um gemido.

Minha nossa, se fosse menos esperto, e se ela fosse qualquer outra mulher, pensaria que ela fizera de propósito. No entanto, vendo que só faltara ela correr em disparada para o outro lado da sala, teve certeza de que não havia nada de intencional no efeito que ela lhe provocava.

Havia quase um mês que Chase não fazia sexo, mas o corpo dele reagia à presença de Chloe como se fizesse um ano, como se ele tivesse 14 anos de novo e estivesse escondido no vestiário feminino enquanto as líderes de torcida se trocavam. Ele sorriu, pensando naquela tarde. Ah, sim, tinha sido bom ser um garoto de 14 anos naquele dia. Com certeza aquilo fora uma das melhores ideias do Ryan.

Uma rajada de vento soprou chuva na varanda e Chase fechou a porta e entrou na casa, onde Chloe estava parada, desconfortável, ao lado da cozinha.

Ele andou devagar pelo aposento e concentrou-se para não devorá-la com os olhos.

— Está com fome?

Ela balançou a cabeça, com a mão ainda sobre o rosto.

— Você está machucada. — Não era uma pergunta. — Deixe-me ver seu rosto.

Ela tentou dar um passo para trás, mas o balcão de granito impediu.

— Não. Estou bem.

Ele podia ver o quanto ela estava se esforçando para ser durona e forte. Por que ela não entendia que ele estava bem ali, oferecendo ajuda? Sem se importar em não assustá-la, foi até ela e colocou sua mão sobre a dela.

O primeiro toque fez os dois ofegarem e ele podia jurar que as pupilas dela se dilataram por um milésimo de segundo antes de ela se desvencilhar dele.

— Eu sabia que não devia ter vindo para cá com você — ela exclamou quando começou a atravessar o aposento correndo.

Porém Chase era mais rápido e a agarrou antes que ela pudesse fugir. Ainda estava experimentando o calor suave dela, a pressão dos seios amplos contra seu peito, o "v" quente entre as pernas dela que acomodava tão bem as partes íntimas dele, quando viu o que ela estivera escondendo.

— Meu Deus, Chloe, isso aconteceu no carro?

Um lado do rosto dela tinha um enorme hematoma com todas as cores do arco-íris e um longo arranhão no centro. Lágrimas brilharam nos olhos dela, mas pareciam ser causadas mais pela frustração do que pela dor.

— Esta não é a melhor noite da minha vida.

Mais uma vez, ela não respondera à pergunta. No entanto, ao não dizer "sim", ele pôde presumir que o ferimento não fora causado por uma batida no volante quando o carro caíra na vala. Qualquer outra mulher estaria chorando, mas não aquela, embora fosse claro que algo muito louco tinha lhe acontecido nas últimas horas.

— Não mesmo — ele respondeu, com suavidade.

Quanto mais olhava para ela, mais bravo ficava por causa do ferimento. Ele já brigara com os irmãos o bastante para saber o quanto aquilo doía, mas sabia que não devia fazer daquilo um escândalo. Não ia ferir o orgulho dela... Não quando alguém já havia feito um trabalho daqueles em seu rosto.

— Você colocou gelo aí?

Ela balançou a cabeça e ele, relutante, soltou-a e foi para a cozinha.

Depois de encher uma sacola plástica com gelo, envolveu tudo em um pano de prato limpo e macio. Ela não saíra do lugar onde ele a impedira de correr. Ele poderia facilmente levar o gelo para ela, mas sabia que era importante ela começar a confiar nele — pelo menos um pouco — para poder ajudá-la.

Todos os instintos dele gritavam, desde o instante em que a vira pela primeira vez, que o problema dela era muito maior do que apenas a perda de controle do carro na chuva.

Às vezes, era terrível estar certo.

— Eu não mordo. Juro.

A última coisa que ele esperava que ela fizesse era baixar o olhar na direção do seu membro ainda latejante, erguer as sobrancelhas e dizer:

— Sério?

Feliz em ver que qualquer resíduo de lágrimas que estivesse dentro dela não sairia mais, ele abriu um sorriso com o comentário.

— Eu devia ter dito "não mordo, a não ser que...".

Ela levantou uma das mãos para interrompê-lo e terminou a frase com voz sarcástica:

— ... “a não ser que você queira” — ela completou, como se tivesse ouvido aquilo centenas de vezes antes. — Tanto faz. Não estou interessada em você. Nem agora, nem nunca.

As palavras dela eram entediadas, duras, mas ela se aproximou dele.

— Mas aceito o gelo.

Ele entregou para ela e quando Chloe estava começando a agradecer, pressionou o gelo com força demais contra o rosto e ofegou de dor.

— Aqui — ele disse —, deixe-me fazer isso.

Aproximando-se o suficiente para tocá-la de novo, deslizou os dedos da mão esquerda sob os dela enquanto lhe apoiava a cabeça com a mão direita.

Chase não ficou surpreso ao perceber que o clima entre os dois por fim melhorou. Tudo por conta da ereção que não conseguia controlar e dos comentários sarcásticos dela.

Quem imaginaria que isso bastaria?

Esperava que ela se afastasse dele, dissesse que podia se cuidar sozinha, insistisse que ele não a tocasse. Em vez disso, teve outra surpresa quando ela falou:

— Você é bom nisso.

A voz suave dela não ajudou a interromper o fluxo de sangue que descia pelo corpo dele até suas partes íntimas.

— Cinco irmãos, lembra? — ele comentou, com um breve sorriso. — Embora minhas irmãs fossem geralmente as responsáveis pelos hematomas mais feios quando brincávamos. — Abriu mais o sorriso. — Fedelhas!

Ela o encarou e ele desistiu de controlar sua reação à onda de desejo que o abalou. Os olhos dela eram extraordinários, um verde vibrante ao redor da pupila, mas preenchido no restante pelo azul.

— Você gosta muito dos seus irmãos e irmãs, não é?

Os olhos dele percorreram sua boca enquanto ela falava, dando a chance de ele apreciar as curvas cheias do lábio inferior, o doce formato de coração do lábio superior.

Não havia dúvidas, estava a caminho de perder total e completamente a cabeça por aquela mulher. Uma mulher que claramente trazia um passado complicado.

Ele nunca fora um homem interessado em lidar com o passado. Parecia que o universo estava lhe pregando uma bela peça naquela noite. Porque ele estava interessado, com certeza.

— Estou com alguma coisa na boca? — ela indagou, meio irritada, meio divertida com o encantamento óbvio que ele demonstrava.

Chase gostou. Preferia que ela risse dele a fugir dele. Recusava-se a pensar no depois, a deixar seus pensamentos irem na direção em que estavam doidos para ir... A direção em que ele a imaginava nua e saboreava cada pedaço da sua linda pele. Em primeiro lugar, tinha de convencê-la a realmente passar a noite lá.

E não fugir ao nascer do dia.

Alerta de que sua ereção estava aumentando ainda mais por trás do zíper do jeans, ele virou o quadril para longe do quadril dela antes de responder:

— Não, sua boca está perfeita.

Um rubor espalhou-se pelo lado do rosto dela, tomando a face que ele não cobria com a compressa.

— E sim, meus irmãos são demais.

Uma expressão determinada surgiu no rosto dela. Chloe virou a cabeça e baixou as pálpebras para que ele não pudesse mais fitar seus olhos impressionantes... e expressivos.

— Está melhor agora, obrigada. Estou muito cansada. Pode me mostrar onde fica o quarto?

Ele queria mantê-la por perto e fazer perguntas até que ela dissesse quem a tinha machucado. Não era preciso ser um gênio para perceber que ela estava fugindo de alguém. Todas as células do corpo de Chase queriam protegê-la, mas, apesar de a barreira inicial ter sido quebrada, sabia que ela não estava nem perto de confiar nele ainda.

— Os quartos ficam no final do corredor — ele disse, mas, embora já passasse da hora de deixá-la ir, não conseguia.

O calor e as curvas suaves dela eram bons demais, certos demais, para que ele se afastasse.

Chloe, infelizmente, não teve problemas para sair dos braços dele.

Já que era provável que um homem tivesse feito o estrago no rosto dela, ele se perguntou se Chloe seria casada. Seria aquele o trabalho de um marido abusivo?

Chase não costumava examinar os anéis das mulheres à procura de uma aliança, mas, daquela vez, era importante. Não foi sutil ao olhar para a mão esquerda dela. Ele nem tentou ser sutil. Ora, ela já tinha visto a ereção que lhe provocara. E sentido também. Havia prometido não tocar nela pelo restante da noite, mas não dissera nada sobre o futuro. E precisava saber se ela estava apanhando de um cara com quem era casada.

Ela estava com a mão bem fechada, mas ele não viu um anel.

Ótimo. Isso significava que, depois que descobrisse o que acontecera com ela, depois que ela começasse a confiar nele, não haveria uma única razão para ele não poder começar um trabalho de sedução lento e persistente.

Quando por fim olhou para o rosto de Chloe, ela o estava encarando com o mesmo ar de irritação de antes, mas sem nenhuma sombra de divertimento dessa vez.

Pego no flagra.

— O quarto? — Ela ergueu uma das sobrancelhas. Bem alto. — Você ia me mostrar onde fica.

Ele colocou as mãos na mochila dela.

— Por aqui.

Ela também esticou o braço para pegar a mochila e os dois jogaram uma ridícula partida de cabo de guerra com a bolsa de lona verde-pálido por alguns segundos. Chase sabia que devia deixá-la continuar carregando a mochila, mas ela não podia ter mais de 1,65 metro de altura, contra o 1,90 metro dele, e ele calculou que era uns 36 quilos mais pesado. Podia carregar a maldita mochila para ela.

Ainda agarrada à bolsa com as duas mãos, ela comentou:

— Você tem mesmo um desejo de carregar minha mochila, não é?

Ele estava segurando com força o seu lado da lona quando respondeu:

— Eu ia dizer o mesmo a seu respeito.

Ela soltou a mochila tão rápido que ele cambaleou. Balançou a cabeça e murmurou:

— Nunca entendi por que os homens acham que têm de ser tão machões.

— Querer ajudá-la com a mochila não é ser machão.

— Tem certeza?

— Talvez seja apenas porque minha mãe me educou bem — ele retrucou, jogando as palavras dela contra ela mesma.

Ele não esperou que ela argumentasse mais... Não quando ele estava chegando tão perto de dar um beijo naquela boca linda e esperta, quisesse ela ou não.

Ele a guiou pelo corredor até a suíte principal, onde tinha planejado dormir. Os outros quartos tinham colchões de alta qualidade, mas ele queria que Chloe ficasse com o melhor.

Chase abriu a porta e estava prestes a tocar no interruptor quando percebeu que a luz já estava acesa. Seu cérebro encharcado demorou mais do que deveria para perceber que a cama não estava vazia.

E uma mulher nua esperava por ele.

Ele se esquecera completamente de Ellen, mas estava claro que ela não se esquecera dele. Se a noite tivesse sido diferente — bem diferente —, ele teria ficado muito animado ao encontrá-la despida e pronta. Porém, depois de conhecer Chloe, Chase estava tão desanimado com a presença nua de Ellen na casa quanto era possível.

Antes que pudesse pensar rápido e tirá-la dali, Chloe saiu de trás dele. Ele esperou que ela perdesse o fôlego com aquela afronta, que fizesse o inevitável: agarrasse a mochila e saísse correndo de volta para a chuva.

Mas tudo que ela fez foi rir.

— Talvez — ela disse, sem disfarçar a risada — tenha outro quarto para mim? — Riu de novo. — De onde não dê para ouvir nada do que acontece aqui, se for possível, por favor.

Ele lançou-lhe um olhar que dizia que ela era louca. Chloe não podia pensar que ele transaria com Ellen enquanto ela estava na casa, podia?

Mas, então, perdeu noção do problema conforme a risada constante dela envolvia seus sentidos. Meu Deus, adorava aquele som. Tão fácil. Direto da alma. E o sorriso dela era muito bonito.

Lindo.

Ellen ainda estava inteiramente nua na cama, mas ele não conseguia parar de olhar para Chloe. Tivera vontade de beijá-la quase desde o momento em que a conhecera. Agora queria beijá-la até que ela desmaiasse *e* fazê-la sorrir, ouvir sua doce risada, com a mesma força.

— Chase, quem é ela?

Ellen ainda não tinha se mexido para se cobrir e ele reparou que ela não era mesmo o tipo dele, no final das contas. Ele preferia as curvas de Chloe aos músculos tesos de Ellen. E cachos tingidos de loiro não eram nada comparados aos cabelos castanho-claros que refletiam a luz enquanto balançavam sobre os ombros e as costas de Chloe sempre que ela se mexia.

Ela parecia animada demais para a situação quando respondeu por ele:

— Meu nome é Chloe. — Outro sorriso maldoso. — Chase me pegou hoje. — Balançou a cabeça na direção dele e acrescentou: — Você sabe como é. Garota com problemas na beira da estrada conhece um cara com uma BMW.

Ellen parecia mais confusa do que brava. Ela olhou para Chase e pareceu decidir algo antes de falar:

— Como você é fotógrafo e anda com um pessoal moderninho, eu devia ter imaginado que gosta desse tipo de coisa.

Com a sensação de que tinha entrado em uma cena surreal sendo gravada para um filme, Chase teve de perguntar:

— De que tipo de coisa você acha que eu gosto?

— Você sabe, *ménage* e tal — Ellen respondeu ao se sentar de pernas cruzadas na cama, dando aos dois uma visão direta de suas partes íntimas; totalmente depiladas.

"Minha nossa", ele pensou, com uma careta, "ela precisa se cobrir."

Ele abriu o guarda-roupa e tirou um roupão, jogando-o para ela do outro lado do quarto.

— Faz um tempo que não fico com outra mulher — Ellen afirmou —, mas tenho certeza de que não esqueci o que fazer.

Ela voltou sua atenção de Chase para Chloe.

— É um prazer conhecê-la, Chloe, mesmo sendo um pouquinho inesperado. Meu nome é Ellen, a propósito. — Ela mal parou para respirar. — Você é muito bonita. Acho que não será nada difícil entrar no clima.

Chloe parecia muito confusa com a maneira como Ellen olhava para ela, claramente analisando como ela se sairia na cama.

— Obrigada — ela acabou dizendo —, mas acho que não estou a fim de um *ménage* esta noite.

A maneira calma como ela disse aquilo provocou em Chase pensamentos malucos. Ela já tinha feito um *ménage* antes?

A simples ideia de um homem e uma mulher tocando nela ao mesmo tempo o deixou furioso. Não podia nem se permitir pensar em dois homens ou romperia uma veia.

Ele nunca havia procurado relacionamentos sérios, estivera muito feliz com seus encontros casuais dos últimos 32 anos. Como estava sempre na estrada, deixar as coisas claras e simples era o melhor para seu estilo de vida. Nunca invejara os colegas que tinham esposa e filhos esperando em casa por eles. Porém, desde o momento em que vira Chloe pela primeira vez, ele quisera protegê-la... e mais.

— Ai, meu Deus! — Ellen disse, de repente, quando finalmente viu o horroroso hematoma de Chloe. — O que aconteceu com o seu rosto?

Chase odiou ver todos os traços da risada fugirem do rosto de Chloe.

— Vou encontrar outro quarto sozinha. Boa noite.

Ele queria ir atrás dela, mas tinha de lidar com Ellen antes.

— Ela está bem? — Ellen perguntou depois de Chloe ter fechado a porta do quarto.

Ele passou a mão pelo cabelo molhado.

— Ela vai ficar bem — ele garantiu. — Olha, hoje não vai mais acontecer.

— Por causa dela?

Chase balançou a cabeça.

— Por causa dela.

Por sorte, embora Ellen parecesse decepcionada, apenas encolheu os ombros, em vez de dar um escândalo.

— Ela é mesmo muito bonita. — Ellen sorriu para ele, esperançosa. — Falei sério sobre o *ménage*, se você quiser tentar convencê-la.

— Não.

Ele não queria ser um canalha, mas também não queria dar esperanças a Ellen.

— Acho que isso não vai acontecer.

— Talvez outro dia — ela disse ao atravessar o quarto nua e pegar suas roupas, que ele então viu estarem sobre uma poltrona no canto.

Sem chance. Ele nunca, nunca dividiria Chloe com ninguém. Nenhuma mulher e, com certeza, nenhum homem.

Depois que a convencesse a lhe dar uma chance, é claro.

O problema, ele pensou ao virar-se de costas para Ellen colocar a roupa, era que sentia que convencer Chloe a confiar nele o suficiente para lhe dar uma chance não seria uma tarefa nem um pouco fácil.

CAPÍTULO TRÊS

Chloe não queria nada além de jogar a mochila no chão do quarto, atirar-se na cama e enrolar-se em si mesma. Porém, o piso de madeira parecia muito caro e ela já havia pingado o suficiente nele.

No banheiro, colocou a mochila no chão de azulejos e, depois, tirou as roupas molhadas e sujas e colocou-as na pia. Adoraria jogá-las fora, mas não tinha muitas coisas consigo e sabia que precisaria delas de novo em um futuro próximo. O melhor que podia fazer no momento era lavá-las e pendurá-las para secar. É claro que a casa devia ter uma lavadora e uma secadora, mas passar a noite na casa de estranhos — nem ao menos do estranho que a levara para lá, mas de um irmão que ela nunca vira — já era uma caridade bem grande.

Quando estava por fim nua, foi para o chuveiro e estava prestes a abrir a água quando reparou na enorme banheira de hidromassagem. Quase gemeu alto com a ideia de deitar na água quente com jatos massageando suas pernas, sua coluna e seus pés.

Chloe olhou quase com culpa para a porta do banheiro antes de perceber que estava sendo boba. Estava trancada e ela estava finalmente sozinha. Já que Chase insistia que ela passasse a noite ali, que mal havia em aproveitar as comodidades? Pelo menos aquelas ligadas ao quarto?

Ela não entrava em uma banheira como aquela desde que deixara...

Não. Não se permitiria pensar naquela noite. Sabia que não tinha o luxo de fingir que tudo estava bem... Nem de longe... Mas, no fundo do coração, sentia-se segura. Por uma noite, naquela bela casa, cercada por videiras.

Supôs, alguns segundos mais tarde, que fora exatamente aquela gloriosa sensação de segurança — e a lembrança de como fora bom sentir-se tão aquecida e segura nos braços de Chase — que tinha feito seu corpo reagir de maneira tão estranha ao entrar na água quente.

A pele dela parecia extrassensível conforme ela submergia devagar o quadril, as pernas e as costas na grande banheira. Com um suspiro de prazer, encostou a cabeça na borda curva da banheira e olhou para cima através de uma claraboia que estava respingando com a chuva. Uma pulsação forte e quente percorreu a ponta dos seus seios, que pareciam ainda mais volumosos do que o normal. E, entre as coxas... ela estava queimando lá embaixo. Bem, na verdade estava pegando fogo desde o momento em que Chase segurara a sacola com gelo no rosto dela, na cozinha do irmão.

Parecia que ela e a garota na cama dele tinham o mesmo gosto.

Pensar na moça nua (ela dissera que seu nome era Ellen) e em sua louca oferta de um *ménage* fez Chloe rir inesperadamente enquanto escorregava na banheira e jogava a cabeça para trás, para molhar o cabelo com a água quente.

Hummm, que gostoso. Pegou o chique frasco de xampu e começou a massagear o líquido cheiroso nos cabelos.

Chase ficou surpreso de verdade com a mulher nua... e com o fato de que ela não ficara nem um pouco desconcertada com a ideia de mais de uma pessoa em sua cama.

O sorriso de Chloe transformou-se em um leve franzir de sobrancelhas. Não por achar que as pessoas não faziam aquilo de verdade, mas porque não conseguia entender a linha de pensamento de Ellen.

Se Chase fosse dela, não o dividiria com ninguém.

O chocante percurso dos pensamentos fez Chloe congelar. O xampu pingou nos seus cílios e ela afundou na água, esperando eliminar também os pensamentos indesejáveis.

O que havia de errado com ela? Era tão idiota assim? Tão cheia de fantasias e sonhos estúpidos?

A única pessoa em quem devia confiar, havia muito tempo, era ela mesma.

E, ainda assim, não entrara em uma discussão com Chase na sala de estar e na cozinha? Quase um flerte, quando deveria ser cuidadosa. E, depois, quando encontraram a mulher nua esperando por ele na cama, não conseguira segurar a risada. Rir de novo tinha sido muito bom. Fora incontrolável. O mais incrível foi que, por alguns instantes, quase se sentira a garota que costumava ser.

Havia algum tempo, Chloe fora uma mulher sensual. Não era uma dessas garotas que têm medo do próprio corpo. Adorava ser beijada. Acariciada. Adorava outras coisas também. Coisas que seu ex-marido dissera serem ruins. Sujas. Das quais ela devia se envergonhar. O simples fato de ter escolhido muito mal o marido não significava que aqueles anseios, aqueles desejos, tinham desaparecido.

Estavam apenas escondidos.

E Chase era, obviamente (e infelizmente) um mestre do esconde-esconde.

Chloe não acreditava que seu corpo tinha decidido acordar para a vida agora. Naquela noite, acima de qualquer outra, ela devia se concentrar em dormir, conseguir comida e decidir o que fazer depois.

Em vez disso, estava deitada na banheira pensando no Sr. Sexy com seus olhos verdes e sorriso malicioso. Sem falar naquele corpo ridiculamente perfeito — alto, musculoso, com ombros largos — de onde vinham os olhos e o sorriso.

A frustração tomou conta dela. Tinha o mau pressentimento de que, se saísse daquela maravilhosa banheira, em vez de afundar na cama com certeza luxuosa do quarto, ficaria se revirando no colchão com o desejo não saciado a noite toda.

Não, que droga. Quando ela deixara o ex-marido, jurara tomar conta de si mesma. Na época, tinha pensado que isso significava apenas dinheiro, emprego e moradia. Estava claro, ela pensou, balançando a cabeça cheia de culpa, que também significava que, se estava sentindo um desejo sem controle, teria que cuidar daquilo também.

Ela se remexeu na banheira com aquele pensamento meio chocante e, enquanto a água quente flutuava sobre suas curvas, tentou calcular há quanto tempo não se divertia com sexo. Há quanto tempo não podia explorar seu corpo e ceder às suas necessidades naturais. Há quanto tempo tinha vergonha do seu apetite sexual?

Que bom seria se as respostas não fossem tão dolorosas.

Não. Ela não faria isso naquela noite. Não depois do que já passara.

O amanhã logo chegaria. Mas, aquela noite... Bem, talvez aquela noite fosse sua chance de começar a dar os passos muito necessários para reivindicar uma parte de si mesma, que ela fora forçada a negar por muito tempo.

Ao fechar os olhos, forçando-se a relaxar mais na banheira quente, Chloe colocou as mãos logo acima dos seios e sentiu o bater acelerado do coração. Devagar, desceu-as pelo peito, sobre os seios, e prendeu um suspiro ao notar as sensações de prazer surpreendentes que a percorreram.

Costumava adorar que brincassem com seus seios, sentir uma língua lavá-los, os lábios de um homem sugá-los e saboreá-los. Quando era mais nova, quase conseguia chegar ao clímax só de brincar com seus seios enquanto imaginava um homem fantástico fazendo amor com ela.

Chloe não recuperava essas fantasias havia muito tempo, mas, naquela noite, estavam apenas ela e suas mãos e uma banheira cheia de água quente. Não havia ninguém lá para lhe dizer que ela era uma vadia por gostar do que gostava.

Afogada nas lembranças sensuais havia muito enterradas, deixou seus pensamentos voarem para uma cena em que estava nos braços de um homem e a cabeça dele estava abaixada sobre seus seios. Depois, ele ergueu a cabeça e ela engasgou quando uma corrente de excitação a atingiu entre as coxas.

Porque o homem era igual a Chase.

Chloe devia ter parado de se tocar naquele instante. Sabia que devia ter tido o autocontrole para sair da banheira e ter a noite de sono de que precisava com tanto desespero. Mas tinha passado tanto tempo sem aquilo. Tempo demais. Estava com 30 anos e a caminho de seu apogeu sexual, certo? Era mais um motivo para ficar brava.

Era mais uma parte da sua vida a reivindicar.

Estava segura ali. Naquela noite, tinha a chance de se sentir normal de novo. E ia aproveitar.

Mesmo que o lindo rosto de um homem que ela acabara de conhecer — e por quem estava impossivelmente atraída, embora todas as células de seu cérebro soubessem que era errado — fosse o homem que estava prestes a fazê-la gritar de êxtase em alguns minutos.

Com uma das mãos ainda nos seios, ela deixou a outra escorregar pelo estômago, depois a barriga, até chegar ao emaranhado de cachos macios entre as coxas. O instinto a fez abrir as pernas sob a água e sondar a massa pulsante de nervos entre as pernas com as pontas dos dedos.

A respiração acelerou quando ela escorregou os dedos mais para baixo. Mesmo sob a água, podia sentir o quanto estava molhada, o quanto estava pronta praticamente desde o primeiro momento em que Chase a tocara.

Não fazia ideia de como podia ter reagido daquela maneira a um completo estranho. Com o que acabara de lhe acontecer, o ferimento ainda pulsando em seu rosto, ela não devia retrair-se e detestar o toque das mãos dele? No entanto, não chegara nem perto de odiar o toque de Chase. Longe disso, considerando que estivera bem mais tentada a esfregar-se nele do que a afastá-lo.

Conforme seus dedos rodeavam o ponto rijo, os pensamentos dela viajaram para o momento em que olhara para o grande volume nas calças dele. O sexo já fora bom havia um tempo, bom o suficiente para ela ainda poder imaginar o tipo de prazer que um homem como Chase podia dar a uma mulher.

Ela afundou tanto na água que o nariz, a boca e os olhos mal ficavam acima da superfície. Os pés escorregaram mais e chutaram, por acidente, alguma coisa na banheira e os jatos jorraram com mais força.

Chloe abriu os olhos de repente quando os jatos borbulhantes atacaram sua pele sensível. No início, era demais para aguentar, sensações demais chegando a ela ao mesmo tempo, mas, depois, à medida que ficou mais acostumada à água passeando por seus músculos doloridos, viu-se cada vez mais relaxada.

Rapidamente, percebeu que, se levantasse as pernas para dobrar os joelhos e se os pés ficassem apoiados no fundo da banheira, dois dos jatos de cada lado iriam direto para a região entre suas pernas.

Erguer o quadril na direção dos jatos parecia decadente. Pecaminoso.

E simplesmente bom.

Ela levou as mãos de volta para os seios, segurando cada um com uma delas enquanto a água trabalhava no meio de suas pernas do melhor jeito possível.

Ela balançava o quadril para cima e para baixo conforme se aproximava mais e mais do orgasmo mais doce que tinha havia muito, muito tempo. O rosto de Chase apareceu de novo e ela nem se importou em evitar fantasiar o beijo dele, aquelas grandes mãos em seu corpo em vez das suas próprias.

Um som estranho tentou invadir seu subconsciente, mas ela já estava longe demais para prestar atenção. E o nome de Chase saiu de seus lábios quando seu corpo inteiro retesou e, depois, explodiu em mil pedaços deliciosos, os quadris aproximando-se mais dos maravilhosos jatos fortes, os dedos apertando os seios. Meu Deus, adorava aquela sensação e, de repente, não imaginava como tinha passado tanto tempo sem ela.

Estava prestes a relaxar mais na banheira quando seu cérebro voltou para o momento em que estivera perto do clímax. Para o som que ouvira, mas ignorara enquanto seu corpo ultrapassava os limites.

Quando abriu os olhos, ainda ficou tão desorientada por causa do orgasmo durante alguns segundos que teve certeza de que não poderia estar vendo o que via: Chase, na porta do banheiro com a mão na maçaneta.

A surpresa — e a luxúria perigosamente forte — estavam estampadas no rosto dele.

CAPÍTULO QUATRO

Chloe fechou os olhos de novo, prendeu a respiração e mergulhou por inteiro na banheira enquanto os jatos desligavam-se sozinhos. Ficou sem respirar pelo máximo de tempo possível e, enquanto isso, rezou para, quando voltasse à superfície, a porta ainda estar fechada e trancada... e o fato de Chase tê-la visto não apenas nua, mas masturbando-se na banheira do irmão dele, não passar de um pesadelo.

Infelizmente, quando subiu para respirar e abriu os olhos, lá estava ele, no mesmo lugar onde estivera um minuto antes.

Apesar de já estar na água quente, ela pôde sentir um calor de mortificação cobrir com velocidade sua pele, dos pés à cabeça.

Pelo menos, foi isso que disse a si mesma que o calor significava.

Com um barulho de água e pele, ela juntou as pernas e ergueu os joelhos para tentar esconder a parte inferior do corpo e, ao mesmo tempo, cruzou os braços no peito para cobrir os seios.

Chloe obrigou-se a olhar Chase nos olhos... Os olhos verdes que brilhavam com calor suficiente para ativar o detector de incêndios... E disse:

— A porta estava trancada!

Ainda bem que já sabia que não devia esperar um pedido de desculpa, pois Chase não parecia nem um pouco arrependido.

— Você não deve ter trancado direito.

Os lábios dela não deviam estar prestes a se curvarem em um sorriso. Nada daquilo era engraçado. Aliás, seria engraçado se estivesse acontecendo a outra pessoa, como, digamos, em um filme a que ela assistisse.

Mas aquilo não era uma comédia romântica.

Era a vida destruída dela.

— Você sempre invade o banheiro quando tem visitas?

Até que enfim ele parecia um pouquinho aflito.

— Não vi suas coisas no quarto. Pensei que pudesse ter decidido ir embora de novo. — Ele fez uma pausa e seu olhar suavizou-se por trás do desejo que ainda irradiava dele. — Estava preocupado com você.

A doçura daquela última frase acertou-a com força no peito, bem onde ela ainda tinha aquela vulnerabilidade idiota, e a fez fechar os olhos por causa do golpe.

Ela sabia que devia manter os olhos fechados, porque, quando cometeu o erro de abri-los de novo para ser corajosa e olhar Chase nos olhos, o que viu no rosto dele impediu-a de descobrir a diferença entre o desejo e a doçura dele.

Como poderia, se os dois estavam embrulhados em um pacote belo demais?

Ela havia ficado tão atordoada ao vê-lo parado na porta que esquecera completamente o nome que saíra de seus lábios ao chegar ao clímax.

Ela engoliu em seco. Com força.

Como sabia que havia apenas uma maneira de lidar com a situação, ela disse, em um tom muito mais desafiador do que realmente possuía:

— Eu conheço vários Chases, a propósito.

Ele ergueu uma sobrancelha e o canto da sua boca tremeu com uma óbvia vontade de sorrir.

— É mesmo?

Ele a prendeu naquele meio sorriso por mais tempo do que seria justo. Principalmente porque os dois sabiam que era provável que ela nunca tivesse conhecido um Chase antes.

— As pessoas costumam dizer que é um nome bastante incomum.

Bem, o que ela poderia responder a isso? Porém, já que o choque de mortificação e surpresa inicial tinha passado, Chloe percebeu melhor a posição em que estava.

O que quer que a mãe de Chase tivesse lhe ensinado, ela com certeza esquecera a lição de deixar uma garota nua sozinha para recuperar a compostura, pois, em vez de deixá-la sair da banheira e vestir-se em paz, ele passeava um olhar de apreciação para cima e para baixo da pele nua dela.

As mãos dela coçavam para tentar cobrir mais partes do corpo. Mas de repente outro pensamento a assaltou. A garota nua na cama de Chase não demonstrara vergonha nenhuma... Por que ela, Chloe, tinha de ter vergonha de suas curvas? Além disso, ouvira muitas vezes, de certa pessoa, que precisava perder peso. Pois nunca mais faria regime. Por ninguém. Ia manter os músculos e as curvas, muito obrigada.

Vestindo aquela fantasia de coragem de novo, ela disse:

— Ainda estou nua, sabia?

— Com certeza — ele afirmou, demonstrando enorme prazer com a situação dela.

Por que ela não estava mais irritada com ele? Ou, mais importante, por que não estava com medo?

Ele era grande. Muito maior que ela. As mãos dele poderiam lhe fazer um enorme estrago. Sem falar das outras partes do corpo dele que podiam machucá-la.

E, ainda assim... não tinha medo dele. No início, ficara preocupada em entrar no carro dele, mas, depois, quando ele havia começado a falar da família, aquela preocupação desaparecera. Chloe tinha tentado forçá-la a reaparecer na cozinha, quando insistira em ver o machucado em seu rosto, mas a verdade era que ela não fugira por medo de que ele a machucasse. Não, ela queria fugir por causa de um tipo completamente diferente de medo. Medo de sua reação a ele. Do quão forte (e imediata) tinha sido.

E lá estava ela, nua e molhada na água que esfriava rápido, ainda sentindo aquela reação. Mais do que nunca, na verdade.

Irritada consigo mesma por conta dessa estranha fraqueza e com Chase por ser tão obstinado, ela disse, com uma boa medida de sarcasmo:

— Você não entende muito bem quando recebe um toque, não é?

Ele sorriu, um bonito sorriso que provocou uma reação estranha na barriga dela.

— Sou melhor com pedidos diretos.

— Saia.

Ele sorriu de novo e, depois, deu uma boa gargalhada.

— Quer uma toalha primeiro?

— Então, com *melhor* você quis dizer *terrível*?

A resposta dele foi entrar mais no banheiro em vez de sair. Puxou uma toalha grossa e peluda do suporte aquecido.

— Aqui está.

Ele segurou a toalha longe o suficiente para que ela tivesse de se levantar, sair da banheira e andar até ele para alcançá-la.

Enquanto protelava, ainda tentando decidir por que estava entrando naquele jogo maluco que os dois empurravam um para o outro, ela perguntou:

— O que aconteceu com a outra garota nua? Ainda está esperando o *ménage*?

— Eu a mandei para casa.

Chloe decidiu que não havia mais muitos motivos para segurar sua língua afiada. Fez uma careta e soltou o comentário:

— Coitada. Ela ficou decepcionada por você ter chegado lá tão rápido?

Chase deu uma risada abafada.

— Temo que não fosse o dia de sorte dela. Ela achou as roupas e saiu logo depois de você.

Hum. Bem, aquela era uma surpresa. Ela não conhecia muitos homens que pudessem mandar uma mulher bonita e nua para casa sem aproveitar o que ela oferecia.

Por que ele não a deixava em paz também?

E, mais importante, por que *ela* não queria ser deixada em paz?

Os dois sabiam que, se ela começasse a gritar, se ela realmente quisesse que ele saísse, ele sairia. Em vez disso, ficavam naquele joguinho.

Um joguinho com o qual ela estava se divertindo demais.

Tanto, na verdade, que, se continuasse por muito mais tempo, com certeza faria algo muito idiota.

Muito, *muito* idiota.

Não.

Já bastava de ser idiota. Afinal, tinha agido assim durante todo o casamento. E veja o que conseguira com isso. Um grande e horrível ferimento no rosto, o carro em uma vala... Enquanto ela se escondia na casa de um estranho e tentava ignorar o fato de que ainda precisava descobrir como lidar com tudo aquilo.

O pensamento frustrante a fez esquecer o jogo com Chase por tempo suficiente para que se levantasse para pegar a toalha antes de perceber o que fizera.

Pasma, ficou parada na frente dele, assustadoramente ciente de cada gota d'água que escorregava pela sua pele e voltava para a banheira.

As pupilas de Chase dilataram-se até seus olhos ficarem quase pretos quando ele olhou para ela.

— Meu Deus, você é linda, Chloe.

Ela não sabia se ele tinha reparado que dissera aquilo em voz alta, mas o tom de veneração a chocou. Ninguém nunca tinha olhado para ela assim, como se nunca tivesse visto nada nem ninguém tão bonito.

Não. Não bonito.

Lindo.

Talvez fosse o poder daquela palavra, quando, até então, ela tinha ouvido apenas *gostosa* e *sexy*, que a segurava ali em pé, ainda nua e pingando.

Esperando.

Ansiando.

Querendo.

Tinha certeza do que aconteceria depois, podia quase coreografar o que qualquer homem da Terra faria naquela situação. Chase iria seduzi-la para fazer sexo com ele e, de manhã, ela o odiaria por tirar vantagem de sua fraqueza sensual, mesmo ela não estando envolvida de verdade com ele. Mas, acima de tudo, ela acabaria odiando a si mesma.

No entanto, conforme os segundos eram marcados pelos batimentos altíssimos do coração dela, embora fosse claro que Chase não queria nada além de arrancar as calças e entrar na banheira, ele não fez isso. Apesar de os dois saberem que ele era grande o suficiente e forte o suficiente para entrar nela antes de ela piscar os olhos, ele não se aproximou nem um centímetro.

Chloe não acreditava. Ela não tinha dado a ele permissão para tocá-la e, por mais incrível que fosse, ele não estava forçando nada, não estava aproveitando dela só por ser maior e mais forte.

Uma dor aguda atingiu-a por trás dos ossos do peito, bem no meio daquele coração que tinha sido tão magoado.

Seria possível que, pela primeira vez na vida, tivesse mesmo encontrado um homem que não tocaria nela, nem mesmo tentaria nada... sem que ela deixasse? Era mesmo possível que, apesar do desejo intenso estampado nas pupilas dilatadas dele e na maneira como os músculos do seu maxilar lutavam contra o autocontrole que ele estava usando para se manter imóvel, Chase nunca colocasse as mãos (ou os lábios) nela a não ser que ela pedisse com clareza? Seria possível que ele nunca juntasse seus lábios aos dela a não ser que ela implorasse por um beijo, até que estivesse pronta e desesperada pelo toque dele, para fazer amor com ele?

As visões daquele desespero não deveriam ser tão claras para ela, não deveriam já estar passando pela cabeça dela como um filme sensual. Porém, eram tão ridiculamente claras — e poderosas — que Chloe precisou de todo o seu autocontrole para afastá-las antes de expelir as palavras de seus pulmões ofegantes.

— Eu aceito a toalha agora, obrigada.

Nunca houve uma afirmação menos sexy dita entre um homem e uma mulher.

Então, por que ela de repente se sentia sem fôlego?

Minha nossa.

Chase já tinha feito uma boa cota de loucuras, participado de várias sessões de sexo acrobático.

Porém, nenhuma daquelas noites chegava aos pés de ver Chloe ter um orgasmo na banheira.

E não havia um único corpo de modelo que tivesse um grão da sensualidade impregnada em cada célula do lindo corpo nu de Chloe.

Ao olhar para baixo, ele percebeu que a toalha estava tremendo em suas mãos.

Chase esforçou-se para ficar calmo. Não devia ter ficado no banheiro, sabia disso. Porém, não conseguira evitar. E também não achava que ela quisesse de verdade que ele saísse.

Ainda assim, uma vozinha de racionalidade lhe dizia que devia dar a toalha a ela antes que ela se secasse sozinha. Entregou a toalha e ela agarrou o tecido antes de erguer o olhar para encontrar o dele.

— Sr. Sexy?

Ele viu a surpresa aparecer no rosto dela pela forma como o tinha chamado.

Sr. Sexy.

— Você está falando comigo, certo? — ele perguntou, feliz em vê-la abrir outro daqueles belos sorrisos que quase o faziam desmaiar.

— É um bom apelido, não acha? — Antes que ele pudesse responder, ela avisou: — Você precisa soltar a toalha.

Ele sabia disso. Mas, por Deus, não tinha certeza de que conseguiria se lembrar do próprio nome naquele momento. Como poderia ativar o cérebro o suficiente para tirar os dedos da toalha?

— Sinto muito.

E ele realmente sentia muito, em especial porque ela se enrolou com rapidez na grande toalha.

— Essa banheira é ótima.

Ele com certeza parecia um idiota parado ali, sem conseguir responder. Por acidente, tinha visto quando ela deu a si mesma o que pareceu ser um orgasmo maravilhoso e tudo que ela tinha a dizer era que a banheira era ótima?

— Não sei se a banheira teve alguma coisa a ver com isso — ele disse, por fim.

Ele adorava o som da risada dela, adorava o fato de que soava mais cristalina a cada vez que a ouvia.

Ela encolheu os ombros ao passar por ele, prendendo a toalha em um ponto entre seus seios incríveis.

— Um homem nunca deve subestimar o poder de um jato bem colocado — foi a resposta de Chloe quando caminhou até o espelho e começou a pentear os cabelos com os dedos.

Como ele continuou parado ali a observando pelas costas, ela ergueu uma sobrancelha, olhando para o espelho.

— Tenho certeza de que você está cansado.

De jeito nenhum. Ele não estava cansado. Estava excitado. Como nunca estivera antes.

— Não preciso dormir muitas horas.

Ela balançou a cabeça e virou-se para ele.

— Bem, eu preciso. — Com isso, ela saiu do banheiro e caminhou até a porta que dava para o corredor. — Boa noite.

Ele seguiu, obediente, para a porta, muito depois de já ter passado da hora de deixá-la sozinha.

— Boa noite.

Apesar de sua ereção ainda estar pulsando dentro das calças, quando ele passou por ela, o beijo que queria lhe dar não a faria implorar por outro orgasmo.

Não, o que ele queria mesmo era dar um beijo na testa dela. Queria lhe dar um beijo gentil que a fizesse saber que estava segura com ele.

Que ela sempre estaria segura com ele.

Porém, não tinha ganho permissão para aquele beijo e sabia, por instinto, que era melhor não fazer nada que ela não tivesse oferecido.

Estava na metade do corredor quando a ouviu dizer:

— Sr. Sexy?

Ele novamente abriu um sorriso ao escutar o apelido que ela lhe dera — tinha de ser um bom sinal, certo? — e virou-se.

— Sim?

Apesar do apelido, ela parecia séria de novo. Muito, muito séria.

— Obrigada. Por tudo que você fez esta noite.

Ele sentiu um aperto no peito com aquelas palavras sinceras. E com o "obrigada por tudo que você não fez" que ela não estava dizendo, palavras não ditas que soavam com tanta clareza quanto as palavras expressas em voz alta.

— Você não precisa sair da casa de hóspedes e ir para a casa do seu irmão. Acho que não tem problema você ficar no final do corredor, em vez de do outro lado do vinhedo.

Ele esperava que ela quisesse dizer que se sentia mais segura com ele na casa, em vez de ficar sozinha, e respondeu:

— Durma bem.

— Acho que vou dormir bem mesmo.

E, assim, a porta foi fechada e ele ficou olhando durante bastante tempo para o lugar onde ela estivera.

Chase Sullivan não tinha percebido que, naquela noite, sua vida mudaria para sempre.

Mas tinha mudado.

Porém, o mais incrível… chocante… era que ele não estava nem um pouco interessado em lutar contra aquela mudança. Em vez disso, estava se preparando para um luta diferente... pelo coração de Chloe.

CAPÍTULO CINCO

Chloe acordou aquecida e descansada. Ah, sentia falta de camas como aquela, colchões com *pillow top*, lençóis macios e acetinados e edredons grossos que eram leves e, ainda assim, perfeitamente quentes. Entretanto, voltar a ser ela mesma nos últimos seis meses desde o pedido de divórcio, embora significasse ter de dormir em lençóis baratos e desconfortáveis em uma cama de solteiro dura feito pedra, tinha sido melhor do que camas macias e sapatos elegantes.

Aquela ânsia por voltar a fugir tentou dominá-la, mas, naquele momento, sentia-se confortável demais para fazer qualquer coisa além de se alongar e se aconchegar mais sob as cobertas. Fechou os olhos e tentou voltar a dormir, porém, por melhor que fosse ficar deitada no meio de uma grande cama como uma massa informe de preguiça em vez de correr para a lanchonete onde vinha trabalhando nos meses anteriores, para servir ovos gordurosos a uma porção de caras que lhe beliscavam o traseiro, ela não conseguia adormecer. Não quando pensamentos que envolviam Chase ficavam aparecendo em sua mente, um após o outro, traiçoeiros de tão doces.

E excitantes.

Ela tinha se arrastado nua para as cobertas na noite anterior, tão exausta que dormira imediatamente. Porém, à luz da manhã que entrava pelas finas cortinas da janela, lembrou (em detalhes vivos e tecnicolor) o que fizera no banheiro.

O que ele vira.

Por instinto, cobriu o rosto, que estava ficando quente.

Não ia se torturar por ter se masturbado na deliciosa banheira. Nem se repreenderia pela maneira como o nome dele chegara a seus lábios quando atingira o clímax. E não havia motivo para ficar brava com ele por ter invadido seu "momento privado", não se a única razão para ele ter ido procurá-la era estar claramente preocupado com ela. Ele não esperava surpreendê-la com a mão entre as pernas.

Porém, o que acontecera depois, o fato de ela não ter sido direta e insistido que ele saísse do banheiro, a maneira como um provocara o outro, o fato de ela tê-lo chamado de Sr. Sexy na frente dele... Mal podia acreditar que aquilo tinha acontecido.

E, ainda assim, apesar da maneira como o estômago se comprimia quando tentava forçar as lembranças, o pequeno ponto de calor que tinha se instalado em seu peito antes de dormir continuava lá.

Tudo porque Chase não a tinha atacado. Ele não a tinha assustado. Ou tentado dominá-la de nenhuma forma.

Ela sabia que algumas mulheres gostavam daquele tipo de coisa. Achavam excitante serem dominadas. Certa vez, tinha sido provocada por fantasias de ser presa. De ser amarrada. De ficar indefesa em sua paixão, de ser capaz de se entregar completamente a um homem que a amava.

Não conseguia se imaginar sentindo isso de novo. Não, nunca mais deixaria alguém dominá-la. E não podia ver um único motivo para ser tentada a deixar outra pessoa controlar qualquer parte da sua vida dessa maneira. Nem um único motivo.

Fechou os olhos, sabendo que estava sendo uma covarde por ficar ali deitada na cama macia. Devia estar ao telefone, falando com a polícia, dando queixa. Devia ter feito isso na noite anterior, mas ficara tão assustada como a maneira como o ex-marido tinha ido atrás dela que não pensara em nada além de fugir. Para muito, muito longe dele.

Mas saber o que devia fazer e sentir-se forte para fazê-lo eram duas coisas muito diferentes.

Por fim, ela desistiu de tentar dormir mais e, com os pensamentos embaralhando-se em dezenas de direções distintas, empurrou as cobertas e escorregou para fora da cama.

— Vocês foram ótimas esta noite — ela disse para as cobertas, como uma amante carinhosa, antes de ir ao banheiro.

Ficou parada sob o jato quente e delicioso do chuveiro, sentindo-se segura e aquecida, pelo menos por algum tempo. Não ia se esconder ali para sempre, é claro. Porém, pelo restante do dia, se conseguisse não atrapalhar ninguém, ficaria no vinhedo. Talvez até provasse um pouco de vinho. Fingiria que sua vida era normal por um tempo. Normal. Que palavra agradável.

Chloe afastou a voz em sua mente que dizia que evitar o inevitável só tornaria mais difícil cuidar do problema mais tarde e esforçou-se para convencer-se de que merecia um pedacinho de normalidade. Não merecia?

Depois de se secar e vestir o jeans e a camiseta, ela se aventurou para fora do quarto.

Certo, talvez tivesse demorado mais do que o normal para secar seus longos cabelos lisos. Não que se importasse em ficar bonita para Chase. Não que estivesse nervosa por vê-lo de novo.

Ora, quem ela conseguia enganar? Ninguém.

O machucado em seu rosto não iria assustar criancinhas, mas não era bonito também. Se acrescentasse a isso os jeans e a camiseta gastos... Não, não estava nem perto do melhor que podia ficar.

Chloe respirou fundo e jogou os ombros para trás antes de virar no canto do corredor que dava para a cozinha.

Ela estava vazia.

A decepção cresceu antes que pudesse afastá-la. Ou fingir que não a sentia.

Havia uma tigela de frutas recém-cortadas no balcão da cozinha, ao lado de diversos doces que fizeram seu estômago vazio roncar. Já havia pegado um croissant de chocolate — seu favorito! — e mordido quando reparou no bilhete preso ao lado da bonita tigela vermelha e amarela de frutas.

Chloe,

Bom dia. Espero que tenha dormido bem. Desculpe-me por não ter ficado para acompanhá-la no café da manhã. Venha ver a gente no vinhedo quando terminar de comer.

Até logo,

SR. SEXY

P.S.: Quase esqueci. Tem suco de laranja fresco na geladeira. Preciso garantir que você não fique sem vitamina C.

Uma risada de surpresa ecoou na cozinha vazia.

Chloe não podia acreditar que ele tinha assinado o bilhete com o apelido que ela lhe dera. Sua experiência tinha lhe ensinado que homens não tinham senso de humor. Principalmente quando a piada era feita com eles.

Ao olhar na geladeira, achou o suco e serviu-se. Acomodou-se em um dos bancos do balcão, pegou o bilhete e leu de novo com um sorriso ainda brincando no rosto.

"*A gente*" significava Chase e o irmão, certo? Ela controlou certo desconforto com a ideia de que poderia ter de conhecer mais pessoas além deles. Para ser honesta, não queria nem conhecer o irmão. Mas como tinha aproveitado a hospitalidade dele na noite anterior — e naquele momento também — não se sentiria bem se não agradecesse, pelo menos, por tê-la deixado ficar na casa por uma noite. Assim que se ajeitasse de novo, começaria a trabalhar em uma nova colcha como presente de agradecimento.

O que restou do croissant foram pequenas migalhas no balcão de granito e ela as estava recolhendo com a ponta molhada do dedo quando se deu conta de que tentava ganhar tempo de novo, escondendo-se na casa de hóspedes para não ter de encarar Chase.

Estava um dia lindo. Devia aproveitar enquanto estava lá.

Chloe saiu para a varanda. Protegeu os olhos do sol com uma das mãos, e examinou a área à frente, para ver onde estava. Embora se sentisse mais segura do que nos últimos tempos, ainda sentia que os problemas poderiam vir de qualquer lugar, quando menos esperasse. Como na noite anterior.

Todas as vezes em que pensava no que havia acontecido, sentia-se estupidamente ingênua. Como não tinha percebido que o ex-marido estava à beira de perder o controle? Pensar nisso lhe dava um aperto no estômago, um horrível mal-estar.

Agir normalmente. Tinha se proposto fingir que tudo estava normal. Deu um suspiro profundo enquanto lutava para reprimir suas emoções confusas, seus medos. Por fim, quando se sentiu mais equilibrada, olhou ao redor. E quase perdeu a respiração ante a paisagem.

Depois da chuva da noite anterior, o vinhedo brilhava sob a luz do Sol. As folhas das videiras eram de um verde-vivo, quase como se uma criança tivesse pintado a cena em cores primárias com um giz de cera novo.

O vinhedo se mantinha envolto em um silêncio delicioso, a não ser, ela reparou ao caminhar entre uma fileira alta de videiras, pelos pássaros que chamavam um ao outro com alegria. Conforme as cantorias chegavam a seus ouvidos, Chloe respirou profundamente o ar fresco, o aroma limpo de terra, plantas crescendo e natureza.

Infelizmente, alguns momentos depois, seu idílio foi interrompido pelo som de passos rápidos e o que parecia ser uma adolescente soluçando. Chloe mal teve tempo de se encostar em uma das videiras para não ser atropelada por uma garota alta e magra.

O coração de Chloe batia forte enquanto ela esperava — e observava — se alguém corria atrás da menina. Porém, quando o caminho estava livre, alguns instantes depois, e ela voltou para o meio da trilha de terra, percebeu que os elaborados laços do vestido da garota haviam se enroscado em algumas videiras grossas, impedindo-a de prosseguir.

Chloe foi rapidamente até ela.

— Espere um pouco, vou soltá-la.

Os olhos da garota estavam arregalados e ainda cheios de lágrimas enquanto Chloe mexia nos sedosos adereços.

Embora estivesse se perguntando o que aquela menina estava fazendo usando um vestido como aquele — que Chloe percebeu na hora que devia custar uma fortuna — no meio de um vinhedo em um dia de semana, ela disse:

— O que aconteceu?

— Ele é tão cruel!

Os batimentos do coração de Chloe, que mal tinham desacelerado, aumentaram de novo. Ela se sentia incrivelmente protetora.

— Quem é cruel? Seu namorado?

A garota balançou a cabeça e era lindíssima, mesmo com o rosto molhado das lágrimas e o cabelo embaraçado.

— Quem me dera, ele é maravilhoso — ela acabou por dizer e mais lágrimas escorreram de seus olhos — e tão cruel!

Por que todas elas faziam isso a si mesmas?, Chloe se perguntou. Qual era o atrativo de se apaixonar por homens que as tratavam como um lixo? Era alguma parte secreta do currículo do jardim da infância para as meninas?

Chloe havia acabado de soltar os fios de seda da videira, mas a garota ainda chorava... Soluços fortes, esmagadores e dramáticos.

— Graças a Deus você a encontrou — alguém falou.

Chase? Quando ele se aproximara? E como podia a quente voz que tinha invadido todos os sonhos dela na noite anterior fazer seu corpo aquecer com tanta rapidez?

A jovem envolveu o pulso de Chloe com seus dedos longos e finos e segurou com força. Com força suficiente para que qualquer cumprimento que Chloe tivesse articulado fosse engolido com um suspiro de dor, enquanto as unhas compridas e muito bem pintadas afundavam entre as veias do seu pulso.

Chase tinha um olhar carinhoso enquanto examinava o rosto de Chloe.

— Dormiu bem?

Olhar nos olhos dele foi tudo que bastou para ela esquecer a pontada no pulso. Ele parecia tão preocupado. E tão lindo que chegou mesmo a deixá-la sem fôlego.

De alguma forma, ela conseguiu responder com um ofegante "sim".

Ele sorriu, um sorriso amplo e sincero que fez Chloe ter a sensação de derreter.

— Que bom. Fico feliz.

A garota fincou mais as unhas.

— É ele — ela sussurrou, franzindo as sobrancelhas diante do clima amigável entre os dois adultos.

Chloe tentou se libertar das garras da garota.

— O quê?

— Foi ele que me fez chorar!

Chloe virou da garota para Chase, disposta a esclarecer a situação:

— Você a fez chorar?

Em vez de responder, ele falou com a menina:

— Amanda, vamos perder a luz certa. Preciso que você volte ao seu lugar. Agora.

O beicinho que ela fez parecia o de uma criança de 3 anos.

— Não é justo.

— Não tenho tempo para as suas crises, Amanda.

Do que estavam falando? Aquela linda e jovem garota não podia ser a namorada dele, podia? O que ele queria dizer com "voltar ao seu lugar"?

Ainda protetora com a garota, ela se colocou entre os dois.

— Olha, Chase — começou a dizer —, ela está muito chateada com alguma coisa.

A garota a empurrou com o cotovelo para fora do caminho e Chloe teve a estranha sensação de ter cometido o erro de ficar no lugar de Amanda sob o holofote.

— Quero ficar na frente! — Os grandes olhos da garota eram sua arma.

— Prometa que ficarei na frente pelo resto do dia e eu volto.

A expressão de Chase não mudou. Ele não estava bravo. Também não estava rindo, parecia apenas concentrado. Determinado. Chloe teve a clara sensação de que ele raramente (ou nunca) deixava de conseguir o que queria.

Um pequeno arrepio passou pelo corpo dela quando se lembrou da maneira como ele a olhara com um desejo muito intenso na noite anterior. O que teria acontecido se tivesse lançado mão daquele foco? Daquela determinação? Teria terminado a noite sozinha naquela cama enorme e deliciosa, como acontecera?

Ou teria tido companhia?

Ela mal conseguiu voltar à realidade a tempo de ouvi-lo dizer:

— A questão é a seguinte, Amanda. Ou você volta para lá e faz seu trabalho ou chame um táxi e avise seu agente de que esta é a última vez que nós dois temos o privilégio de trabalhar juntos.

— Mas, Chase — a garota choramingou —, não é justo.

Ele encolheu os ombros e tirou o celular do bolso.

— Napa Valley. Preciso do telefone de uma empresa de táxi.

A garota deu um pulo para agarrar o telefone, as unhas afiadas arranhando com ainda mais força a pele de Chloe quando a soltou de repente. É claro que Chase era mais rápido que a menina; ele ergueu o braço acima da cabeça e deu um passo para o lado e, assim, ela teve de segurar em uma videira para não cair.

Chase colocou o telefone perto da orelha de novo.

— Sim, preciso de uma corrida até o aeroporto, saindo do Vinhedo Sullivan.

— Não! — a garota gritou tão alto que Chloe parecia ter um sino dentro dos ouvidos. — Eu volto e faço o que você quiser.

Chase não tirou o telefone de perto da orelha e simplesmente disse a Amanda:

— Você não vai me questionar de novo.

Não era uma pergunta. Era uma afirmação.

A garota concordou balançando a cabeça. Com força.

— É só que eu descobri que meu namorado está dormindo com a minha colega de quarto e eu odeio os dois e estou muito chateada.

Naquele momento, a menina obviamente mudava de tática, fazendo o melhor para piscar os grandes olhos para ele e parecer tanto patética quanto bonita. Chloe pensou que se ela mesma tentasse utilizar tais recursos, iria parecer apenas que estava com uma gripe terrível.

— Sinto muito por estar estragando a sessão de fotos.

Surpreendentemente, um traço de sorriso brincou nos lábios dele. Será que a Amanda seria perdoada com tanta facilidade? Chloe sabia por experiência que os homens não perdoavam tão fácil.

— Desculpas aceitas. Por que não volta e deixa arrumarem sua maquiagem?

A garota virou-se e correu de volta com suas pernas longuíssimas, deixando Chloe e Chase sozinhos.

— Adolescentes — ele zombou e fingiu estremecer. — Depois de lidar com minhas irmãs por tanto tempo, eu deveria saber que seria melhor não trabalhar em um campo que dependesse delas.

— O que está acontecendo aqui?

Chloe percebeu, tarde demais, que falava como algum personagem de um filme ruim dos anos 1950, a matrona entrando em uma cena que não conseguia entender.

— Sou fotógrafo. Vamos fotografar um editorial para uma revista aqui pelos próximos dias.

Ah. Tudo estava começando a fazer sentido. De repente, ela se sentiu um tanto desconfortável.

— Eu estava apenas dando um passeio. É tão bonito.

— Lindo — ele murmurou e ela se lembrou no mesmo instante da maneira como ele dissera "*meu Deus, você é linda*" na noite anterior. Sentiu o rosto esquentar de novo e baixou o olhar. — Obrigada por preparar o café da manhã.

Chloe observou os pés de Chase se aproximarem, até que ele estava tão perto que ela não teve escolha a não ser levantar o rosto e encará-lo.

— Fico feliz que tenha gostado — ele disse, com delicadeza, e, depois, passou as pontas dos dedos por sua bochecha até o canto da boca. — Você está com um pouco de chocolate bem aqui.

Não havia o que fazer além de parar de respirar totalmente enquanto ele a tocava. Não conseguia se lembrar de um homem já ter sido gentil assim com ela antes.

E, depois, ele mexeu um dedo apenas um pouco para colocá-lo sobre os lábios dela e um demônio antes latente dentro de Chloe — o mesmo que a tinha convencido de que se masturbar na banheira na noite anterior seria uma boa ideia — a fez abrir a boca e lamber o chocolate.

Ela ouviu um gemido vindo de um ponto bem profundo do peito dele:

— Chloe.

Meu Deus, ela estava *muito* perto de beijar aquele homem que ainda era um estranho, apesar de ele tê-la visto nua e ter lhe dado um lugar quente e seguro para passar a noite.

Não!

Enquanto cambaleava para trás, com os galhos de uma grande videira espetando-a entre os ombros, ela disse:

— Você devia voltar ao trabalho. Devem estar esperando por você.

Mas ele não se mexeu, nem mudou de apoio. Em vez disso, apenas sorriu para ela com aquele calor intenso ainda nos olhos. Acompanhado de algo que realmente a fez tremer.

Determinação.

Foco.

— Tenho certeza de que ainda estão trabalhando na maquiagem da Amanda — ele retrucou, mas ela ouviu com clareza o que ele dizia de verdade: *não vou a lugar nenhum. Assim, por que não para de tentar fugir e se entrega ao que nós dois queremos? Será bom. Eu prometo.*

Ela estava desesperada para negar o desejo quente e pulsante entre eles e disse:

— Escrever tudo em letras maiúsculas é um pouco demais, não acha?

Ele franziu as sobrancelhas por um milésimo de segundo antes de entender e sorrir de novo.

— Eu pensei que, se vou ter um apelido como Sr. Sexy, é melhor assumi-lo.

Como ela poderia fazer outra coisa além de sorrir para ele? Era tão fácil gostar daquele homem. Não era culpa dele ser mais sexy que o pecado. Ela não podia continuar culpando-o por isso.

— Venha comigo. — Ele estendeu a mão. — Vou apresentá-la à equipe.

Ela olhou para a mão dele. Ela queria muito, muito segurá-la. Mas não podia.

Chloe disse a si mesma que ele entenderia se conhecesse os seus motivos — e que era provável que já compreendesse, devido ao machucado no rosto dela — e, assim, apenas foi até o lado dele e começou a caminhar. Não precisou olhá-lo para perceber sua decepção por não ter estendido a mão também. Porém, ele não disse nada e a alcançou, acompanhando-a.

— Esta é uma parte tão incrível do país — ela comentou. — Há quanto tempo seu irmão tem este vinhedo?

— Quase uma década. Todos nós achamos que era loucura dele ter aulas de agronomia na UC Davis. Agora, nós queríamos ter pensado nisso antes.

Ela virou-se para ele, surpresa.

— Você não gosta do que faz?

Aqueles momentos, quando os olhares deles se encontraram, sempre a chocavam. Ele deveria, na verdade, ficar na frente das câmeras, destruindo os corações femininos com aquele olhar de poder incrível.

— Adoro — ele afirmou —, mas isso não significa que, às vezes, eu não pense em diminuir as viagens e ter uma vida calma com uma bela esposa e um quintal cheio de crianças fofas.

— As câmeras estão nos seguindo? — ela brincou, olhando sobre o ombro de maneira dramática.

— Não. Por quê?

— Porque você acabou de dizer o que toda mulher de trinta anos do mundo quer ouvir. E parecia sincero.

— E você?

Quando ela franziu as sobrancelhas, sem entender, ele explicou:

— É isso que você quer ouvir?

Ela se recusou a reconhecer a dor da esperança e encolheu os ombros.

— No momento penso apenas em sobreviver até o dia seguinte — respondeu da maneira mais descontraída que conseguiu.

Chloe já podia ver as modelos e a equipe esperando por Chase, mas, em vez de se apressar, ele parou de caminhar e virou de costas para todo mundo. Ela não teve escolha e parou também.

— Eu cuidei do seu carro. — Ele abriu um pequeno sorriso. — Foi guinchado para um lugar melhor.

Na luta contra o pânico de estar sem veículo nenhum, ela falou:

— Ele não ia durar mais muito tempo mesmo. — Tentou sorrir também. — Obrigada por resolver isso. Vou pagar…

Ele a interrompeu antes que ela terminasse a frase.

— Fique aqui, Chloe. Fique aqui no vinhedo enquanto estamos tirando as fotos por uns dias.

Ela mordeu o lábio e balançou a cabeça.

— Você está ocupado. E eu preciso… — Fez uma pausa, sabendo que tudo que tinha à sua frente eram problemas, pelo menos por um tempo.

— Fique — ele insistiu, com a voz mais suave dessa vez, mas com aquela determinação, aquele foco de que ela tinha tanto medo inserido em cada letra da palavra.

E, acima de tudo, aquela era a principal razão para ela ter de ir embora. Porque não tinha intenção de se envolver com outro homem. Ainda estava aprendendo como ficar sozinha, como contar consigo mesma, como confiar de novo. Ainda não havia passado um ano desde o pedido de divórcio. Não estava pronta para outro relacionamento.

E com certeza não estava preparada para a determinação. E o foco.

Ou um homem por quem poderia, com facilidade — muita facilidade —, perder o controle.

Balançou a cabeça de novo.

— Sinto muito. Não po…

— Por favor.

Ele não tinha se aproximado mais, não a tinha importunado e exigido que aceitasse, mas a gentil súplica em sua voz era como se braços quentes a envolvessem e apertassem.

— Não precisa concordar em ficar a semana toda. Concorde com um dia de cada vez.

E com uma noite de cada vez também.

Ela ouviu essas palavras mesmo sem que ele as pronunciasse. E foi quando Chloe percebeu o quanto era fraca, porque foi impossível recusar:

— Está certo.

Ela podia sentir que Chase a estava analisando, sabia que ele não havia gostado da resposta, embora ela tivesse lhe dado exatamente o que ele queria. No entanto, o que quer que ele estivesse prestes a falar foi interrompido por um jovem bastante magro com óculos enormes de armação grossa e roxa.

— Chase — ele chamou —, todos estão prontos para você.

O olhar de Chase continuou fixo no dela por mais um longo momento antes de ele se virar devagar para a pessoa que ela supôs ser seu assistente.

— Jeremy, esta é a Chloe. É a minha convidada especial. Faça de tudo para que ela se divirta hoje, combinado?

Jeremy espiou o ferimento no rosto dela antes de desviar rapidamente o olhar.

— Alguém para ouvir as minhas fofocas, que bom! — Estendeu a mão e agarrou a dela antes que Chloe pudesse impedir. Em seguida, saiu andando e já conversando com ela.

Chloe olhou desesperada para Chase por cima do ombro, mas viu que ele sorria para ela. Como ele sempre conseguia estar três passos à frente dela? E — assim como tinha se perguntado na noite anterior — por que isso não a incomodava mais?

Quinze minutes depois, Jeremy a havia acomodado em uma cadeira confortável para ela assistir à sessão de fotos. Chase estava fotografando três moças jovens e maravilhosas em vestidos de festa.

Amanda era estonteante. Mas as três juntas? Chloe não conseguiu deixar de comentar com Jeremy:

— Quanta beleza, não?

Jeremy suspirou e olhou para Chase com uma admiração indisfarçável.

— E você acredita que ele nem se dá conta disso?

Ela não pôde segurar a gargalhada e riu tão alto que todos, inclusive Chase, olharam para ela.

— Eu estava falando das modelos — ela esclareceu.

Jeremy encolheu os ombros.

— Não são más.

É claro que a verdade era que ela concordava com a avaliação dele: Chase era mais bonito que todas as modelos juntas.

No entanto, as moças tinham uma beleza chocante. Em vez de sentir ciúmes, Chloe disse a si mesma que estava feliz por elas estarem lá, para lembrá-la de que não havia nada com que se preocupar no que dizia respeito a Chase. Como podia ter se deixado levar pela ideia de que *ah, não, ele está louco por mim* e *o que vou fazer se ele estiver determinado a me possuir*?

Riu de novo, percebendo como foram ridículos os seus pensamentos, agora que tinha visto as modelos e o modo como ele se aproximava delas, quase podendo beijá-las, enquanto se posicionava para tirar outra foto. Podia haver muita beleza no vinhedo, mas com certeza também havia uma boba cheia de ilusões onde ela estava sentada.

Enquanto ria em silêncio consigo mesma, Chloe sentiu-se muito melhor. Talvez pudesse mesmo passar uns dias ali. Talvez pudesse prolongar a "vida normal" por um tempo, antes de ter de fazer força e enfrentar todos aqueles problemas de novo.

Porque, de verdade, como Chase poderia querer alguma coisa com ela quando tinha essas visões de perfeição à sua volta? Sim, ela era bonitinha. Bonita até. Mas certamente não estava nos seus melhores dias, sem maquiagem, machucada e usando roupas velhas.

E, sim, tudo bem, ela provavelmente morreria um pouquinho se o visse paquerar — ou beijar — uma dessas coisinhas lindas e jovens.

Entretanto, depois de quase uma hora acompanhando o trabalho dele, percebeu que Chase não fazia esses joguinhos com as suas modelos. Ele apenas as elogiava pelo ótimo trabalho, conforme a confiança delas aumentava e as poses iam ficando melhores.

Chloe ficou surpresa ao sentir o impulso da criatividade fluir pelo corpo, embora nunca tivesse ligado muito nem para moda nem para fotografia.

Sua verdadeira paixão era o *quilting* e, enquanto o observava trabalhar, percebeu que mais do que a moda estava ganhando vida ali. A maneira como Chase dispunha as modelos e destacava as roupas contra o fundo de videiras, montanhas e céu era tão genial que o simples fato de observá-lo lhe inspirava um novo olhar para a composição. Uma nova visão para a maneira como poderia fazer sua próxima colcha.

Por sorte, como já estava bem convencida de que não tinha nada com que se preocupar, pois Chase não a "desejava", ela podia se permitir reconhecer o quanto ele era incrível. Podia até afirmar a si mesma que o que sentia por Chase era admiração por ele ser um gênio artístico… em vez de por ele ser bonito e charmoso.

— Ah, meu Deus, olha o gato chegando — a voz de Jeremy soou esganiçada.

— O quê? Onde? — Chloe perguntou, olhando ao redor e vendo que Chase estava ocupado tirando fotos a uns 90 metros dela.

— À sua direita — Jeremy sussurrou e ela lhe seguiu o olhar pelo campo até um homem muito bonito que caminhava na direção deles.

— Quem é? — ela sussurrou de volta, embora não soubesse por que falavam tão baixo.

— É o Marcus — Jeremy respondeu em tom de reverência.

Nossa! Aquele era o irmão de Chase?

Havia seis deles?

Como Chase, Marcus tinha uma beleza inacreditável. Ainda assim, embora ela reconhecesse a pura beleza masculina quando a via, seu coração não estava acelerado e ela não estava perdendo o fôlego e sentindo vontade de se tocar, nada disso. No entanto, não havia como negar a poderosa fascinação causada pelos homens da família Sullivan.

— Eu preciso mesmo ver uma foto da família toda — murmurou para si mesma.

Jeremy, é claro, viu e ouviu tudo.

— Os genes deles são uma loucura — foi a resposta. — A mãe deles foi modelo na juventude. E o pai deve ter sido o Cary Grant ou coisa parecida.

Chloe não disse mais nada, não depois de perceber que Jeremy era o pior (e mais delicioso) tipo de fofoqueiro, mas ela estava pensando que ter seis irmãos e duas irmãs bonitos assim no mesmo lugar devia ser demais para os olhos contemplarem.

— Apenas observe. Não consigo nem falar perto dele — Jeremy confessou. — Vou perder o rumo, mesmo sabendo que ele nunca vai jogar no meu time e não faz sentido eu ficar tão nervoso. Detesto o fato de os melhores serem *tão* completamente heterossexuais.

Conforme Marcus se aproximava, Chloe supôs que fosse um pouco mais velho que Chase, e bem mais sério. No entanto, talvez fosse apenas porque ele estava usando terno e o Sullivan dela vestisse jeans.

O Sullivan dela?

Que havia de errado com ela? Chase não lhe pertencia. Ela estava somente passando um curto período no mundo perfeito dele antes de voltar à sua vida real. Ela não podia se apegar nem a ninguém nem a nada naquele lugar.

— Ei, Marcus — Jeremy gaguejou. — Oi!

Pobre Jeremy. Estava tão nervoso que Chloe se esqueceu de ficar nervosa também. Esqueceu até de colocar a mão sobre o rosto para cobrir o horrível ferimento. Ia estender a mão para se apresentar quando Jeremy se adiantou:

— Esta é a Chloe. Ela está com o Chase. Ele a encontrou ontem à noite à beira da estrada.

Chloe lançou um olhar horrorizado para ele. Sabia que não deveria ter aberto a boca para contar a Jeremy como ela e Chase se conheceram.

Claramente mortificado pelo que tinha dito, Jeremy ficou com dois círculos rosa brilhantes nas bochechas.

— Preciso verificar algumas coisas — disse afobado, antes de sair correndo.

Jeremy não foi o único que ficou mortificado. Chloe recuperou a compostura e esforçou-se por ignorar aquela apresentação constrangedora. Estendeu a mão.

— Oi. É um prazer conhecê-lo, Marcus.

— É um prazer conhecê-la também, Chloe.

Marcus tinha uma voz baixa e um pouco grossa, que era sem dúvida atraente. Porém, por algum motivo, não causava nenhuma reação nela. Bem, quase nenhuma. Ora, ela era humana, não era? Não era sua culpa não ser completamente cega para a beleza masculina. Sentiu-se mais do que elogiada por conta daquele rápido brilho nos olhos de Marcus, que lhe dizia como ele a achava atraente.

— Então você conheceu meu irmão na noite passada?

Ela engoliu em seco, tentando não se colocar na defensiva.

— Sim. Na beira da estrada, como Jeremy disse. Meu carro escorregou para uma vala e eu tive sorte de ele passar durante a tempestade.

— Fico feliz que ele tenha ajudado.

— E eu fico feliz por ter a chance de conhecê-lo, pois eu queria lhe agradecer por… — Ela se sentiu muito estranha ao terminar: — Por me deixar passar a noite na sua casa de hóspedes.

A expressão dele revelou que ele não fazia ideia de que ela ficara lá. Mesmo assim, ele disse:

— Qualquer amiga de Chase é minha amiga também.

Era uma gentileza, mas ela sabia o que ele devia estar pensando. O mesmo que qualquer pessoa de bom senso pensaria se ouvisse que Chase a tinha pegado na noite anterior e levado para a casa de hóspedes. Apenas os dois, sozinhos na bela casa, com todas aquelas camas… e banheiras. Do ponto de vista de Marcus, que motivo poderia existir para que os dois não tivessem ido em frente?

— É sério, não é o que você… — Não conseguiu continuar a frase. Não sem se lembrar daquele momento na banheira em que estava quase no clímax, dissera o nome de Chase e ele se achava lá. Corando, percebeu que não tinha nada a dizer sobre a noite anterior sem parecer louca e idiota. Acabou dando um sorriso e desconversando: — Seu vinhedo é lindo. Deslumbrante.

Marcus ficou evidentemente feliz com o elogio.

— Obrigado. Que tal fazermos um *tour*?

Não havia dúvidas, a mãe dos meninos Sullivan os havia educado bem. O único problema que Chloe conseguia achar era que ela também os tinha transformado em destruidores de corações.

Como uma mulher poderia resistir àqueles homens? Àqueles corpos? Em especial quando vinham acompanhados de boas maneiras?

— É muita gentileza sua, mas tenho certeza de que você tem coisas muito mais importantes para resolver.

— Adoro mostrar a propriedade para outras pessoas. É parte do prazer para mim, ver os outros absorverem a paisagem.

Naquele momento, Chase apareceu. Quando os dois homens trocaram um aperto de mão e um meio abraço, Chloe quase não conseguiu segurar um suspiro de puro deleite feminino com toda aquela testosterona bem-feita diante dela.

— Vejo que já conheceu a Chloe — Chase comentou.

— Com certeza. Acabei de me oferecer para mostrar o vinhedo a ela.

Levou um milésimo de segundo — e um olhar direto — para que os irmãos tivessem uma importante conversa silenciosa.

Chase: *Sei que você a acha bonita. Nem pense nisso, nem por um segundo. Ela é minha.*

Marcus: *Eu tenho namorada, lembra? Além disso, eu não ia reivindicá-la. Posso ver que ela é sua.*

Chase virou-se para Chloe.

— Vamos fazer um intervalo para o almoço e, embora as garotas nem sempre comam, o restante de nós come. Que tal nós dois fazermos uma pequena escalada até o topo daquele morro para um piquenique?

Ele ergueu a cesta que pedira a Jeremy para preparar de manhã, já pensando em vê-la.

Por sorte, Marcus liberou-a com habilidade do convite para o *tour*, dizendo:

— Espero vê-la no jantar desta noite, Chloe.

Chase viu a expressão dela passar para a indecisão. Ela havia concordado em passar o dia, mas o irmão dele estava basicamente perguntando se ela passaria a noite lá também.

— Não tenho nada além disto para vestir — ela avisou, apontando as próprias roupas. — Então, obrigada, mas provavelmente será melhor se...

Marcus cortou a recusa dela com delicadeza e uma demonstração de amor fraterno na sua melhor forma.

— Vou tirar o terno assim que acabar a minha última reunião.

Como Marcus estava fazendo o melhor para deixar Chloe confortável, ela por fim concordou.

— Está certo. Obrigada.

Chase ficou devendo essa para o irmão.

Os dois subiam o morro e a vista deixou-a sem fôlego.

Chase tirou um lençol à prova d'água da cesta e estendeu-o na grama, ainda molhada da chuva da noite anterior.

— Uau! Você veio preparado mesmo!

— Tenho uma boa equipe.

Ela balançou a cabeça, concordando.

— São todos ótimos.

Jeremy a tinha apresentado para Alice, a estilista, Kalen, a maquiadora, e Francis, responsável pela iluminação.

— Gostei de vê-lo trabalhar. — As palavras escaparam antes que ela pudesse segurá-las.

O sorriso dele foi como uma carícia na pele dela.

— Gostei de tê-la por perto. Estava tentando não me exibir.

Impressionada com o quanto era fácil ele fazê-la sorrir e dar risada, Chloe comentou:

— A maioria dos homens não admite esse tipo de coisa.

Ela quase esperava que ele dissesse algo como "não sou como a maioria dos homens". Em vez disso, ele perguntou:

— E você, o que faz?

Ele estava sendo muito cuidadoso com ela. Ela sentia em cada olhar, cada palavra. Mesmo naquele momento, quando ele poderia ter perguntado de onde ela era ou por que estava fugindo, ele estava tentando conhecê-la de outra maneira. Assim como não tinha tocado nela sem permissão na noite anterior. Era como se existisse um acordo silencioso entre ambos de que ele não forçaria muito nem se intrometeria antes que ela permitisse.

A dúvida era: ela ousaria deixá-lo se aproximar?

Chloe não tinha uma resposta. Como poderia, se estava com medo até mesmo de reconhecer que a dúvida existia?

Ele passou para ela um sanduíche delicioso e, quando ela o pegou, disse:

— Eu estava trabalhando como garçonete.

Ele assentiu com um gesto de cabeça e insistiu:

— Mas o que você gosta de fazer?

A maioria das pessoas teria interrompido a conversa no emprego normal dela. Mas não Chase. Ele estava interessado de verdade. E aquele interesse honesto ajudou bastante a eliminar a relutância dela de falar sobre si mesma. Ela hesitou um pouco antes de responder:

— Eu faço *quilting*.

As pessoas nunca sabiam o que pensar disso. A maioria supunha que fosse um *hobby*. Outros achavam que era apenas estranho ou chato. Os homens, sem exceção, tomavam aquilo como só mais um artesanato caseiro.

— Conte mais.

Ela minimizou a atividade, como costumava fazer, e disse simplesmente:

— Gosto de ver como os tecidos se juntam nas combinações.

— Já fotografei algumas exposições de *quilts* artísticos para várias publicações e aprendi um pouco sobre o assunto, mas adoraria saber mais. Quando você começou?

Chloe quase nunca tinha uma chance de falar do seu amor pelo *quilting*. Pelo que se lembrava, só o fazia com as participantes da associação de *quilting*, havia muitos e muitos anos. Ela sentia uma falta terrível daquelas mulheres... e da paixão que compartilhavam.

Foi provavelmente por isso que se ouviu dizendo a Chase:

— Comecei quando perdi uma grande amiga da faculdade em um acidente de carro. Ela era uma quilteira apaixonada. A mãe dela tinha uma loja na cidade. Foi a única maneira que achei para manter minha ligação com ela. E me deu outra coisa em que pensar. O movimento das mãos e da agulha, as combinações de tecido e as formas, a construção de algo que eu podia criar. Às vezes, quase posso senti-la me observando lá de cima com um sorriso.

— Tenho certeza de que ela faz isso.

Ela se assustou com as palavras de Chase. Tinha mesmo dito tudo aquilo para ele? De alguma forma, ele conseguira que ela falasse de sua paixão pelo *quilting*, um assunto que encheria de tédio qualquer homem do mundo.

Ela não ficou nada confortável ao perceber que Chase tinha se tornado a exceção. E que era muito bom compartilhar suas ideias com alguém que ouvia de verdade.

Estava sendo idiota, deixando-se acreditar que aquela fantasia de sentar-se com um homem maravilhoso no topo de um morro em Napa Valley tinha algo que ver com a sua vida real.

Não tinha.

Ela apoiou o sanduíche e forçou-se a encará-lo, mas, antes de conseguir dizer alguma coisa, ele falou:

— Ah, não. Essa não é uma boa expressão.

Ela não ia sorrir. Não havia espaço para sorriso quando ela estava prestes a definir a situação com ele, quando estava prestes a esclarecer a posição dos dois.

— Por que você está sendo tão gentil comigo?

— Eu gosto de você.

O brilho que as palavras dele causaram era forte demais. Quente demais. Enquanto se esforçava para afastá-lo, ela comentou:

— Você não me conhece.

— Estou começando a conhecer.

Sem pausas. Sem palavras suaves. Sem tentar seduzi-la para concordar com ele. Ele não percebia o quanto suas respostas honestas estavam deixando tudo mais difícil para ela?

— É isso que você faz?

— O que estou fazendo?

— Você continua me ajudando, fazendo meu café da manhã, pedindo a Jeremy para ser gentil comigo o dia todo.

Ele franziu as sobrancelhas e ela percebeu que ele estava confuso.

— Há algo de errado com querer fazê-la sorrir?

Ah. Por que ele teve de dizer aquilo?

Ela não conseguia pensar em nenhum outro homem que quisesse apenas fazê-la sorrir. Nem mesmo o homem com quem se casara.

Frustrada consigo mesma por ser tão fraca — por derreter tão facilmente —, ela se forçou a questioná-lo mais uma vez:

— Entendo se você gostar de salvar pessoas, mas...

— Não sou um santo. Sempre cuidarei da minha família, mas nunca saí procurando mulheres que precisavam ser salvas. E não foi por isso que pedi para você ficar.

A voz baixa de Chase interrompeu-a e ela se viu incapaz de desviar o olhar da expressão séria dele. Sentiu-se uma cretina por fazer tudo o que podia imaginar para evitar que acontecesse algo muito, muito idiota, como ela se apaixonar por ele.

— Olha, Chase, você tem sido muito gentil mesmo. — Apesar de ter demorado para entregar a toalha a ela na noite anterior, Chloe acrescentou em pensamento, corando. — Mas nós não vamos fazer... bem... você sabe.

Hum... Ela não estava acostumada a ter conversas como aquela.

Ela meio esperava (e meio queria) que ele dissesse que ela estava errada. Que eles iam, na verdade, acabar fazendo *bem-você-sabe* se ela ficasse muito mais tempo por perto.

Em vez disso, a expressão dele ficou mais séria.

— Mais cedo, quando estávamos no vinhedo, quando pedi que você ficasse, você não queria. Porém, eu não desisti até você acabar cedendo. — Chase passou uma mão pelo cabelo, deixando perceber que estava chateado consigo mesmo. — Eu nunca vou querer forçá-la a fazer algo que não queira, Chloe. Nunca vou querer tomar algo de você que você não queira me dar.

Era a deixa perfeita. A chance dela de dizer que nunca tivera a intenção de ficar, de deixar claro que não havia ligação entre eles e de que estava na hora de pegar a estrada.

Então, por que se ouviu dizendo “eu queria ficar”?

A verdade pura daquela afirmação ressoou dentro do seu plexo. Pelo jeito, a verdade não ligava se ela queria que aquilo fosse verdade ou não.

— Eu quero ficar — ela repetiu em um tom mais firme.

Sim, queria passar mais tempo com Chase. Não devia. Mas queria.

O sorriso dele voltou, mais suave, e, de alguma forma, ainda mais poderoso.

— Que bom. — E, depois, ele completou: — Você estava dizendo alguma coisa sobre nós não fazermos...? — Ele se interrompeu, deixando as palavras não ditas flutuarem no ar entre ambos.

Ela devia ter dado uma resposta rápida, algo para colocá-lo em seu lugar. Mas bem naquele momento, com o sol de Napa Valley brilhando sobre ela e as videiras que se abriam para a vida pelos morros ondulantes até onde era possível ver, não lhe restava nada além da honestidade.

— Não tenho a amizade de um homem há muito tempo.

Ele ficou em silêncio por um longo momento e, embora o frio em sua barriga a mantivesse olhando para o horizonte, ela podia sentir o olhar dele.

— Eu ficaria honrado em ser seu amigo, Chloe.

Ela sentiu que prendia a respiração. Gostava tanto dele que era quase impossível não agarrá-lo e beijá-lo.

Certa de que ele conseguia ouvir-lhe o bater do coração, que estava tão alto para seus próprios ouvidos, em vez de beijá-lo Chloe teve de se contentar em sussurrar:

— Eu também gosto de você.

CAPÍTULO SEIS

Chloe não estava acostumada a ficar sentada sem fazer nada. Principalmente depois do ano anterior, em que precisara trabalhar em empregos estranhos para pagar o aluguel, comer e poder comprar tecidos para as colchas. A todo instante perguntava a Jeremy se podia ajudar em alguma coisa, mas ele era firme ao tratá-la como convidada de Chase.

Pior ainda, todo aquele tempo olhando para Chase estava lhe provocando reações estranhas. Sua pele estava sensível por todo o corpo embaixo das roupas. Mais quente do que a temperatura do dia permitia. Parecido com a maneira como ela se sentira na banheira conforme a água escorregava por sua pele e ela terminara se entregando, com o nome dele nos lábios.

Os pensamentos desconfortáveis de Chloe foram interrompidos por um grito estridente, seguido pela voz de uma mulher falando um palavrão. Chloe ergueu o pescoço e viu que Amanda tinha tropeçado em uma pedra e seu vestido tinha um rasgo longo e desfiado na frente.

Chase chamou:

— Jeremy, precisamos de um novo vestido. O mesmo.

O rosto de Jeremy ficou ainda mais pálido do que já era.

— Acho que eles não mandaram outro desse. Vou olhar de novo para ter certeza.

Ele saiu correndo para procurar nos enormes contêineres de roupas.

Sem pensar, Chloe se ofereceu:

— Posso arrumar.

Chase virou seus olhos verde-acinzentados para ela, com uma expressão de dúvida. Ela explicou:

— Já trabalhei com tecidos bem parecidos nas minhas colchas.

— Amanda, tire o vestido.

A modelo tirou-o sem se importar muito com o fato de que estava usando apenas uma calcinha transparente por baixo do tecido esvoaçante.

No início, foi um choque ver o quão confortáveis aquelas jovens ficavam com sua quase nudez, mas, depois, Chloe pensou que, se tivesse tido um corpo como os delas aos 19 anos, também teria sido esperta e o exibido.

Mais feliz do que deveria ficar com o fato de Chase nem espiar os seios perfeitos de Amanda, Chloe levantou-se e foi pegar o vestido.

— Vocês podem esperar dez minutos?

Ele olhou para o grande rasgo.

— Você consegue arrumar em dez minutos?

Ela olhou com mais atenção e passou os dedos pela parte esgarçada do tecido.

— Acho que sim.

Cetim e seda sempre eram mais difíceis de trabalhar porque todos os buracos feitos pela agulha apareciam, mas ela ficara olhando para a caixa de costura o dia todo. Agora tinha um motivo para usá-la.

Chase liberou um intervalo. Chloe rapidamente passou uma linha fina e transparente pela agulha e começou a trabalhar no vestido. Ficou tão extasiada com o tecido macio em suas mãos que demorou um pouco para perceber que Chase estava sentado a seu lado.

— O que eu faria sem você?

Ela quase se espetou com a agulha. Por sorte, estava concentrada demais para responder. Na verdade, não estava tão concentrada assim. Após um ano fazendo trabalhos paralelos para o alfaiate local, por um valor um pouco melhor que um trabalho escravo, ela podia costurar peças como aquela com os olhos fechados.

No entanto, ficava bastante nervosa com a atenção total de Chase daquela maneira.

— Você não precisa fazer outra coisa? — indagou, sem erguer a cabeça.

Ela podia sentir o sorriso dele sem ter de olhar.

— Estou apenas fazendo companhia para a minha amiga enquanto ela me faz um favor.

Amigos. Ele tinha concordado em ser amigo dela. Então por que aquela ligeira decepção por ele não tê-la forçado a ir mais longe lá no morro?

Não. Era loucura pensar naquilo. E ela sabia exatamente para onde aquele tipo de loucura poderia levá-la.

Para a cama… com Chase.

— Eu gostaria de ajudar mais — ela disse. — Você tem sido tão bom comigo e eu queria poder recompensá-lo.

— Chloe.

A maneira séria como ele disse o nome dela a fez fitá-lo.

— Eu quis ajudá-la. Não precisa me recompensar por nada. Nunca.

A intensidade do olhar dele… a enorme dedicação e concentração nela… quase a fizeram espetar a agulha no dedo de novo.

— Preciso me concentrar aqui — ela mentiu.

O que ela precisava mesmo era de espaço para respirar longe de seus novos sentimentos por ele.

— Vá verificar outra coisa — ela sugeriu, no tom mais normal que conseguiu.

Antes de voltar a olhar para o vestido, teve um relance do belo sorriso dele. Um sorriso que lhe dizia que ele sabia por que ela o estava mandando embora. Maldição.

Dez minutos depois, ela ajudou Amanda a vestir-se de novo e corou quando todos começaram a bater palmas e dizer que era ótimo ela ter feito o conserto tão rápido e tão bem.

Não demorou muito para o sol se pôr e as modelos estarem exaustas de verdade.

— Vamos encerrar por hoje — Chase avisou. — Ótimo trabalho, pessoal.

Ele fez questão de olhar para Chloe também, embora ela tivesse feito muito pouco para ajudar.

— Muito, muito bom.

Chloe viu o quanto o elogio dele era importante para todos. Inclusive para ela.

— Meu irmão, Marcus, convidou todos nós para tomar drinques e jantar na casa dele esta noite.

Ele apontou para a grande casa do outro lado do vinhedo.

— Jeremy, por que não leva todo mundo para lá?

Sem que pedissem, Chloe ajudou as modelos a tirar os vestidos, dizendo a cada uma delas o quanto estava impressionada com o trabalho que fizeram.

— Como vocês ficam paradas naquelas poses por tanto tempo?

Amanda já estava ao telefone, mas Jackie, uma menina tímida e "mais velha" (que não tinha nem 21 anos, mas Chloe já aprendera que era quase anciã naquele meio), contou:

— Eu faço bastante ioga.

O sorriso da menina era muito bonito e Chloe sorriu de volta.

— Foi bom tê-la no *set* — Jackie afirmou. — Foi como ter minha mãe aqui para cuidar de nós.

Chloe conseguiu, de alguma forma, manter o sorriso.

Ela era apenas nove anos mais velha que Jackie. E, ainda assim, supôs que a modelo estivesse certa. Se experiência de vida valia de algo, elas tinham um século de diferença.

Jeremy carregou a enorme *van* com baús e araras de roupas e equipamentos de fotografia. Depois, reuniu todo mundo.

— Você vem, Chloe?

Ela estava tentada a ir com o grupo, em vez de ficar sozinha com Chase. Mas se sentia suja. Mesmo que não tivesse roupas melhores para usar na casa de Marcus, o mínimo que podia fazer era ficar mais cheirosa. Um banho era absolutamente necessário.

— Vou ao toalete. Encontro com vocês daqui a pouco.

Vou ao toalete. Por favor, até na maneira de falar ela parecia ser a mãe da Jackie.

Depois que todos saíram, ela se virou para olhar Chase. Pensar nele a fazia derreter por inteiro.

No início, não o encontrou e, depois, percebeu que ele estava atrás de uma de suas grandes câmeras... apontada para ela.

Por instinto, cobriu o rosto com a mão. Meu Deus, o que ele estava fazendo? E o que ele veria? Ele seria capaz de enxergar além do horrível machucado e ver que ela estava derretida por dentro? Ele veria como ela se sentia uma covarde por não ter ligado para a polícia ainda, por apenas se esconder ali com ele, as modelos e a equipe?

E ele veria que ela passara a gostar dele cada vez mais durante o dia todo, apesar de saber que não devia sentir nada?

Irritada com ele (e consigo mesma por se importar), caminhou em sua direção. Ele já tinha baixado a câmera quando ela disse:

— Achei que os equipamentos estavam todos guardados.

— Sempre me sinto melhor se fico com pelo menos uma câmera. Só para o caso de aparecer alguma coisa que eu precise fotografar.

— Você não precisa me fotografar.

— Nunca consegui resistir à vontade de fotografar o belo — ele respondeu com delicadeza antes de colocar a câmera na bolsa. — Desculpe. Não quis deixá-la sem jeito. Espero que me perdoe.

O olhar dele... quente e suave, ainda assim cheio de um desejo que ele não se preocupava em esconder... fez que ela percebesse o quanto estava sendo ridícula.

— É só este machucado... — ela começou a dizer, erguendo a mão para escondê-lo.

No entanto, antes que pudesse continuar, ele interrompeu:

— Você é linda.

A mão dela estava quase sobre o rosto quando percebeu que não precisava mais esconder o machucado. Porque ele não parecia achar que aquilo a deixava feia. E também não parecia achar que aquilo a fazia parecer fraca.

Andar devagar para a casa de hóspedes em meio à escuridão, apenas com o luar para iluminar o caminho, foi incrivelmente romântico. Muito mais romântico do que ela podia permitir que fosse.

— Quando você começou a fotografar?

Ele lhe lançou um olhar na escuridão, que mostrava que sabia que ela estava querendo conversar sobre amenidades.

— Eu costumava roubar a Polaroid do meu pai e irritar todo mundo com ela.

Ela sorriu ao imaginar um pequeno Chase documentando o mundo ao redor.

— Você sempre se concentrou em fotografar pessoas?

— Eu experimentei de tudo, mas, no final, sempre achei as pessoas e suas emoções mais interessantes que todo o resto.

Durante o dia todo, ela havia tentado identificar a magia de Chase.

— Era *isso* que você estava procurando hoje — Chloe disse, de repente, ao entender. — Emoção.

Os olhos dela encontraram os dele e perceberam que, embora ela não fosse uma das modelos, era exatamente aquilo que ele estava provocando nela também.

— Você nos ajudou muito hoje.

Ela corou com o elogio.

— Fiquei feliz por poder ajudar de alguma forma. — Gesticulou em direção à propriedade. — Poder ficar aqui hoje foi maravilhoso. Foi como estar em um mundo de fantasia.

Eles pisaram na varanda e Chase abriu a porta para ela. Sempre cavalheiro.

Ela parou de repente na sala de estar e ele trombou nela. O calor dele queimou-a e ela deu um pulo para longe.

— O que é tudo isso?

Uma arara de roupas, como as que guardavam as roupas das modelos durante a sessão de fotos, achava-se no meio da sala. Estava cheia de roupas que pareciam que serviriam nela, em vez de serem para meninas de 19 anos que usam roupas PP e medem 1,80.

— Pedi que entregassem algumas coisas para você.

— Como você fez isso? Esteve trabalhando o tempo todo, com mais dedicação que qualquer um.

Ela não se lembrava de tê-lo visto fazer um intervalo, além do almoço. Mesmo quando o restante da equipe estava relaxando entre uma foto e outra, ele se mantinha ocupado arrumando tudo ou analisando o trabalho do dia.

— Você fica ótima de jeans — ele disse —, ótima mesmo, mas sei que não estava muito feliz em ir para a casa de Marcus hoje usando isso. Se tem algo que eu consigo fazer é pedir a entrega rápida de roupas bonitas.

Ele era tão doce. E modesto. Mas…

— Não tenho dinheiro para lhe pagar por estas roupas, Chase. Foi uma ideia adorável, mas não posso usá-las hoje.

— Deixe-me fazer isso para você — ele pediu com delicadeza.

— Não posso.

Mas, ah, como ela queria. Mesmo na sua vida anterior, quando tinha dinheiro, nunca usara roupas tão maravilhosas.

— Você pode.

Ele não se aproximou, mas o calor de suas palavras percorreu a pele dela como uma carícia quando ele disse:

— Não vou cobrar nada por isso depois.

Por instinto, ela sabia que ele estava dizendo a verdade. Ele nunca a manteria presa a nada. Então por que isso quase a assustava mais?

Chase era ótimo. Mais do que ótimo. Ela devia deixar de agir como um gato nervoso, expondo as garras ao menor barulho. Acabou se sentindo uma ingrata em relação às roupas e pediu:

— Podemos recomeçar e fingir que acabamos de entrar?

— É claro.

Ele foi até a porta e segurou-a aberta.

Para acompanhá-lo, ela saiu para a varanda e deixou que ele abrisse a porta para ela de novo.

— Uau, Chase! Que roupas lindas! Muito obrigada.

— De nada.

Chloe teve de se esforçar para se afastar dele, em vez de se aproximar. Mais uma vez, queria envolvê-lo nos braços e beijá-lo. Ela nunca fora assim antes, vacilante entre um extremo e outro… querendo fugir em um momento e correr para os braços dele em outro.

Chase caminhou até a arara de roupas.

— Este aqui.

Ele estava segurando um vestido fantástico com saia esvoaçante e corpo justo. Era azul-escuro — a cor favorita dela — e ela já sabia que serviria como uma luva.

— Acho que vou tomar banho e me trocar — ela disse em um tom suave, pegando o vestido das mãos dele ao passar.

Ela sentiu os olhos dele a seguirem por todo o corredor, até fechar a porta do quarto.

O chuveiro parecia um paraíso, mas ela sabia que Chase estava esperando por ela e, por isso, não demorou. A banheira era convidativa, é claro, mas ela não sabia se conseguiria encarar Chase de novo se ligasse os jatos por acidente e ele os escutasse.

Secou-se e, depois, abriu a *nécessaire* com produtos de higiene e maquiagem que ele também conseguira para ela. Ficou muito agradecida pela maquiagem, porque poderia cobrir um pouco o ferimento. Era verdade que todo mundo já o tinha visto, mas isso não significava que ela gostasse de vê-lo cada vez que se olhava no espelho.

Chase pensara em tudo. Como uma garota poderia *não* se apaixonar por um homem como ele?

Nem importava a aparência dele. Ele era lindo por dentro também.

Entretanto, ela também não havia pensado que seu ex-marido era lindo no início?

Chloe esforçou-se para afastar aquele pensamento terrível e terminou de secar os cabelos. Depois, colocou o belo vestido e escolheu um par de sapatos de salto incríveis entre a meia dúzia que tinha sido colocada em seu quarto enquanto tomava banho.

Um arrepio a percorreu ao pensar que Chase estivera perto da porta do banheiro enquanto ela estava nua. Ele ficara tentado a invadir de novo?

E o que ela teria feito dessa vez? Teria agido como se não o quisesse ali?

Ou teria aberto a porta e o convidado a entrar?

Ela tentou com toda a força voltar ao estado de espírito que encontrara mais cedo, quando vira as modelos e pudera se convencer de que não havia como Chase estar interessado nela com aquelas garotas por perto. Mas depois de um dia inteiro com eles, ela sabia, sem a menor dúvida, que não havia nada entre Chase e as meninas. E nunca haveria. Elas olhavam para ele com brilho nos olhos. Ele olhava para elas como se fossem suas irmãs mais novas.

Chloe sabia que ele não a via daquela maneira, no entanto. Ele olhava para ela como um homem olha para a mulher que deseja.

Não, ela se viu pensando antes que pudesse evitar, *há mais por trás do olhar dele do que apenas desejo.*

Com o coração nas nuvens, ela saiu do quarto. Chase ficou em silêncio por um longo momento, o que só fez o coração dela bater ainda mais rápido.

Por fim, ele disse:

— Você está linda.

Linda.

Ele sabia o efeito que aquela palavra tinha nela? Sabia o quanto ele a fazia se sentir especial, todas as vezes?

Desesperada para cortar a tensão sensual — e emocional — entre eles, tentou brincar.

— Quem quer que tenha escolhido este vestido tem um olho ótimo.

— Não é o vestido, é você.

Ela se esforçou para não se desviar do elogio de novo. Houvera uma época em sua vida em que ela sabia dizer "obrigada".

— Você está bonito também — ela comentou, observando as calças jeans escuras e a camisa branca com as mangas dobradas.

— Pensei em irmos caminhando até a casa de Marcus. — Ele olhou para os sapatos dela. — Vai dar certo?

— Está brincando? Eu costumava praticamente viver de salto.

Ele lançou um olhar questionador e ela se amaldiçoou em silêncio. No entanto, por sorte, ele não insistiu nem fez perguntas sobre o passado dela. Mas se ficasse muito mais tempo lá, ele perguntaria, percebeu.

Chloe sentiu-se surpreendentemente à vontade na pequena festa na casa de Marcus. Ele era um anfitrião perfeito, cuidava para que os copos de todos estivessem cheios e para que as modelos menores de idade ficassem apenas no suco e na água com gás.

Depois de ela ter comido sua cota do patê incrível e de Jeremy ter oficialmente esgotado as fofocas por uma vida, Chase ressurgiu das sombras.

— Está se divertindo?

— Estou.

Devia ter sido um alívio quando ele se afastou dela pouco depois de chegarem à festa, em especial depois da caminhada silenciosa desde a casa de hóspedes. Uma caminhada em que ficara claro que ele não faria perguntas que ela ainda não se sentisse à vontade para responder.

No entanto, ela sentia falta de ficar com ele. Seu olhar tinha vagado na direção dele do outro lado da sala muitas vezes. E ele quase a tinha visto espiar.

— Quer mais alguma coisa para comer ou beber?

Ela balançou a cabeça, em negativa.

— Estou satisfeita, obrigada. — Na verdade, sentia-se um pouco mole por causa do vinho. — Tem uma coisa que eu adoraria, no entanto. Estou louca para ver uma foto da sua família.

— Já posso lhe adiantar que sou o Sullivan mais bonito — ele brincou.

Ela deu uma risada. Chase era um dos homens menos egocêntricos que ela conhecera.

— Por que não me deixa avaliar isso?

Ele estendeu uma das mãos e ela a segurou sem se lembrar de que não era uma boa ideia tocar nele. Ah, mas era tão bom segurar a mão dele — grande e forte e quente — mesmo que apenas por alguns segundos.

Achou que estava um pouquinho bêbada enquanto caminhavam para uma sala que supôs ser o escritório de Marcus. Chase pegou um porta--retratos com uma foto de 20 por 25 centímetros e entregou para ela.

Chloe ficou deslumbrada com a visão incrível que eles formavam juntos. Ainda assim, não conseguia desviar o olhar de Chase... Mesmo em uma fotografia, ele roubava toda a sua atenção.

Ele estava ao lado da mãe, quase 30 centímetros mais alto, com o braço

em volta dela enquanto ela inclinava a cabeça no ombro dele. Ela parecia feliz e satisfeita, cercada pelos filhos.

A vontade de pertencer a uma família tão unida atingiu Chloe com tanta força que ela quase derrubou o porta-retratos.

E, depois, ela se deu conta de algo que fez seu queixo cair.

— Meu Deus. Você é irmão do Smith Sullivan?

Ciúmes era algo que Chase não conhecia muito bem. Assim, o golpe repentino, bem no estômago, doeu demais.

— Sou.

Ele esperou que ela perguntasse se podia conhecê-lo ou que começasse a inundá-lo com perguntas sobre o irmão astro do cinema.

Em vez disso, ela apenas virou-se e encarou-o por um longo momento.

— Eu devia ter reparado na semelhança. — E, depois, completou: — Fale mais sobre os outros.

Era sério? Ela não queria saber mais sobre Smith?

Dessa vez, foi ele quem ficou com um olhar engraçado e ela se mexeu, com desconforto, sob sua mira. Sua mão livre cobriu o rosto automaticamente.

— Algo está errado?

Ele balançou a cabeça no mesmo instante.

— Não. Nada.

Ele queria tirar a mão dela do rosto, queria lhe dizer que não precisava esconder dele nenhuma parte de si. Porém, havia prometido a si mesmo que deixaria que ela conduzisse a dança.

Ele não era um santo. Longe disso. Mas cumprir aquela promessa era a única maneira de ela passar a confiar nele de verdade.

Chase sabia como persuadir uma mulher com beijos, com o toque da ponta de seus dedos na pele dela. Entretanto, não desejava ser o único a querer. Era preciso que Chloe quisesse também, com tanto desespero quanto ele.

O suficiente para que ela tivesse de atender àquela vontade.

O suficiente para que ela tivesse de superar o medo e confiar nele.

— Ryan é um ano mais novo que eu.

Depois de um olhar de soslaio questionador dela, ele acrescentou:

— Tenho 32 anos. — Chase voltou a olhar a foto. — Ele joga beisebol no San Francisco Hawks.

Ela murmurou algo sobre estar impressionada, mas ficou claro por sua reação que não era fã de beisebol. Ele sorriu, pensando em Chloe encontrando Ryan, sem ficar bajulando o irmão. Ryan ficaria arrasado.

— Gabe é meu irmão mais novo. Ele é bombeiro.

— Uau, é um trabalho bastante perigoso. Sua mãe não fica preocupada?

— Neste ponto, com oito filhos, acho que ela jogou a toalha e não se preocupa mais.

Chloe balançou a cabeça.

— Não — disse com delicadeza —, ela é sua mãe. Ela ainda se preocupa. Com todos vocês. Porque os ama.

Preso em uma visão muito clara de Chloe como mãe, doce e carinhosa, a voz dele pareceu áspera quando concordou.

— Por isso tentamos lhe dar um pouco de paz, de vez em quando, conforme ficamos mais velhos.

— Quem é esta? — Ela apontou para uma das irmãs.

— A Boazinha. — Ele se corrigiu: — Quero dizer, Sophie. — Apontou para a gêmea. — Esta é a Lori. Também conhecida como Mazinha.

Ela riu.

— Por que tenho a sensação de que elas não gostam muito desses apelidos?

— Elas gostam, embora sempre me digam que não.

Chloe balançou a cabeça e murmurou:

— Não consigo nem imaginar como seria lidar com um irmão mais velho como você. — Ergueu uma sobrancelha e olhou para ele. — Você sabe exatamente o que é melhor para elas, não?

Ele sorriu para ela sem culpa.

— Claro que sim.

Ela bufou e olhou de novo para a foto.

— As duas são muito bonitas. Espero de verdade que tenham dado boas lições em você e nos outros irmãos por serem sabe-tudo.

Chase fingiu estremecer.

— Mais de uma vez, se quer saber.

Ela riu de novo e, se havia outro som mais doce no mundo, Chase ainda não tinha ouvido.

— O que elas fazem? Lori parece muito atlética.

— Ela é dançarina e coreógrafa. Começou trabalhando com líderes de torcida e, agora, faz grande parte das coisas que você vê na televisão.

Meu Deus, ele amava aquelas garotas.

— Sophie é bibliotecária em uma universidade. Ela é um gênio.

— Uau! Impressionante. Não é de admirar que você tenha orgulho delas.

Ele tinha orgulho de todos os irmãos. Nem sempre concordavam em tudo, algumas vezes erguiam os punhos no calor da raiva, mas ele daria um braço — ora, daria os dois braços — por qualquer um deles.

— Já conheço o Smith. Ele é um pouco mais velho que você, certo?

— Trinta e quatro.

— Nossa, seus pais ficaram bem ocupados — ela comentou, antes de apontar para outro irmão. — E este?

— Zach. Vinte e nove anos. É dono de metade das lojas de automóveis da Califórnia.

— Espere, aqueles anúncios da Sullivan Auto que sempre ouço no rádio são dele?

— Ele é um mestre nos negócios que prefere passar a vida escondendo o rosto sob um capuz.

Ou entre as pernas de uma mulher. Mas Chloe não precisava saber disso. Sobretudo porque o maldito era muito bonito. Possivelmente o mais bonito de todos eles, inclusive Smith, cuja aparência era fundamental para a profissão.

— Marcus é o velho do grupo, tem trinta e seis anos.

— Então, vocês são oito irmãos com idades entre vinte e quatro e trinta e seis. — Ela ergueu uma sobrancelha. — E nenhum se casou ainda? — A surpresa dela era evidente.

Ele encolheu os ombros.

— Não. Apostamos há muito tempo quem seria acorrentado primeiro. Todos nós esperamos que Marcus e a namorada resolvam isso logo.

Ela deu uma gargalhada.

— Viu? Agora você está falando como um cara normal. Usando a expressão *ser acorrentado* para falar de casamento.

Engraçado, ele pensou enquanto aproveitava o som da risada de Chloe, até o dia anterior, ele estava do lado dos irmãos, sem pensar em casamento num futuro próximo. No entanto, naquele momento, não tinha tanta certeza. O mais estranho era que não se importava de ser levado até a beira do penhasco. Desde que Chloe estivesse lá também.

E os dois estivessem caindo juntos.

Ela olhou de novo para a foto e comentou:

— Sua mãe é muito bonita.

— Ela é ótima.

— Ela parece tão feliz ao lado de todos vocês... — De repente, os olhos de Chloe se encheram de preocupação. — O que aconteceu com o seu pai? — Mal fez a pergunta ela mordeu o lábio. — Fui muito rude. Desculpe, você não precisa responder.

— Você pode me perguntar qualquer coisa — ele disse.

O olhar dela encontrou o dele e ele não desviou.

— Nós nos conhecemos ontem à noite. Não nos conhecemos tão bem — ela protestou.

— Eu tinha dez anos quando ele morreu. Ele foi trabalhar naquela manhã e teve um aneurisma. Um dos funcionários o encontrou no chão do escritório.

— Ah, Chase, sinto muito.

Ela colocou a mão no braço dele e foi estranho, mas, embora ele pensasse que já tinha superado a morte do pai havia duas décadas, o toque dela o reconfortou.

— Não consigo imaginar como sua mãe conseguiu cuidar de tudo sem ele.

Mais do que feliz por ela não ter fugido daquilo que realmente queria saber, ele disse:

— Não foi fácil. Em especial no começo. Todos nós ajudamos. Pelo menos os mais velhos. — Ele abriu um pequeno sorriso. — Eu faço um fantástico macarrão com queijo.

— Hum — ela fez em um tom suave e não muito convincente.

— Quer saber meu segredo?

— Ah… certo.

Ele inclinou-se um pouco mais para perto, o suficiente para poder respirar o doce aroma de Chloe.

— Você tem de observar a panela com cuidado e saber quando mexer.

A atração brilhou entre eles de novo com aquelas palavras provocadoras; os dois sabiam que ele se referia também à reação dela.

Porque ele a queria. E sabia que ela o queria.

Marcus encontrou os dois em seu escritório e olhou para a fotografia de família nas mãos de Chloe.

— O que quer que ele esteja falando, Chloe, é tudo mentira.

Chase a observou sorrir para o irmão.

— Ah! — ela exclamou, franzindo as sobrancelhas de forma provocante. — Então acho que isso significa que você não é um super-herói...

Marcus riu, claramente contente com a resposta.

— Todo mundo saiu para ir dançar na cidade. Que tal eu abrir uma garrafa do vinho bom para nós três?

— O vinho que você serviu até agora é maravilhoso. Você tem um melhor? — Chloe perguntou, incrédula.

— Prepare-se para enlouquecer.

Apesar do fato de seu irmão se mostrar feliz com a companhia de Chloe, Chase não conseguia se livrar da sensação de que havia algo de errado com

Marcus. Como era o Sullivan mais velho, sempre carregara o fardo mais pesado de garantir que todos da família estivessem bem. Porém, naquela noite, ele parecia mais aflito do que o normal. Nervoso demais.

Antes de conhecer sua namorada, Jill, Marcus era um garanhão tanto quanto os outros garotos Sullivan. No entanto, nos dois anos anteriores, ele tinha se acertado a tal ponto que Chase quase não o reconhecia. Sentia falta de aprontar com o mais velho do clã dos Sullivan, mas supôs que o irmão estava se preparando para se casar com Jill e ter um monte de filhos.

Os dois seguiram Marcus até a sala de estar, que tinha vista para as videiras sob o luar e o pátio da piscina. Enquanto ele abria uma garrafa empoeirada que ainda cheirava à adega, Chloe comentou:

— Eu não deveria beber mais, mas como posso resistir?

Os três se sentaram e Chase adorou ver como ela estava à vontade com seu irmão. O simples fato de Chloe estar por perto, de poder vê-la sorrir, de poder ouvi-la rir, deixava tudo muito melhor. E a vida dele tinha sido muito boa antes de ela aparecer; então aquilo era mesmo significativo.

— Todos estavam dizendo que você ajudou bastante na sessão de fotos para a revista hoje — Marcus comentou.

Ela pareceu contente com o elogio.

— Foi divertido.

— Ela salvou o dia, na verdade.

Chloe revirou os olhos.

— Não é verdade. — Ela tomou um gole do vinho. — Este vinho é tão bom que devia ser proibido!

Marcus sorriu.

— Fico feliz que tenha gostado.

Ela tomou outro gole. Com um leve gemido, declarou:

— Não chega nem perto de *gostar*. É *amor* de verdade.

Em um instante, Chase teve uma ereção. Bastou ouvi-la gemer... e falar uma palavrinha de quatro letras.

Uma palavra que ele não estivera procurando. Porque não havia reparado que fazia falta em sua vida.

Até aquele momento.

Até Chloe.

— Então — Marcus começou —, de onde você é, Chloe?

Ela imediatamente ficou alerta e ajeitou a postura com tanta rapidez que o vinho balançou quase até a borda da taça.

— Estou de mudança, na verdade.

Ela tomou um gole de vinho e Chase tentou usar a telepatia dos Sullivan para mandar o irmão calar a boca.

Não funcionou.

— Para onde? — Marcus perguntou.

Chloe tomou outro gole antes de responder:

— Ainda estou analisando minhas opções.

Assim que Marcus encheu-lhe a taça vazia, ela levantou de supetão.

— Preciso ir ao toalete. Com licença.

Marcus esperou até que ela saísse da sala para dizer:

— O que está acontecendo? Ela cobriu bem aquele machucado hoje, mas como ela ficou assim? Foi quando ela perdeu o controle do carro e saiu da estrada?

Sempre que Chase pensava em como ela tinha se machucado, sentia vontade de socar alguma coisa.

Não, não *alguma coisa.* E sim o rosto do cara que a tinha ferido.

— Não tenho certeza. Ela não confia em mim o bastante para contar. — Ele olhou sério para o irmão. — Não a force mais. Em nada.

Marcus ergueu uma sobrancelha.

— Você gosta dela.

— Vai além de gostar — Chase respondeu, imitando o comentário de Chloe. Mas estava falando de algo muito mais importante do que uma bebida cara. — Preciso apenas que ela fique mais alguns dias. E talvez ela me dê uma chance — completou, falando mais para si mesmo do que para o irmão.

— Nunca vi você assim antes.

Chase balançou a cabeça, tão surpreso quanto qualquer um.

— E eu estava pensando que viria para cá para ter apenas alguns dias de sexo sem compromisso com...

Marcus cortou a frase.

— Com uma das modelos?

Chase resmungou em desdém.

— Não. De jeito nenhum. Você sabe que parei de dormir com modelos há anos. — O irmão ficaria furioso, mas contou de qualquer modo: — Eu estava planejando ficar com a Ellen.

Marcus apertou os olhos.

— Ellen, a minha funcionária Ellen?

— Ela mesma.

— Que droga, Chase, você não pode se meter com alguém que trabalha para mim. Basta você partir o coração dela para que ela desconte no meu vinhedo.

Chase ergueu as mãos.

— Olhe, não aconteceu nada, certo? Então não se estresse por causa disso. Encontrei a Chloe antes de ver a Ellen e não me meti em nenhum problema. E você vai ficar feliz em saber que Ellen pareceu não se importar em ser dispensada.

Chase ignorou o olhar do irmão e cedeu à necessidade de confidenciar seus sentimentos a alguém:

— Nunca me senti assim antes, nunca me senti assim com ninguém além de Chloe — admitiu. — E nem toquei nela ainda.

Maldição! Estava falando demais. Marcus não precisava saber o que ele e Chloe tinham — ou não — feito.

Chase encheu as taças antes de virar o jogo para o irmão e perguntar:

— Ficou tudo bem na cidade ontem à noite depois de você sair da festa? Como está a Jill?

— Ela está bem. — Um músculo começou a tremer no queixo de Marcus. — Acho que vou encerrar a noite. Terei um dia cheio amanhã.

Chase levantou-se depois dele. Dessa vez, a telepatia dos Sullivan funcionou com perfeição. Algo estava errado com Jill, mas Marcus não queria falar do assunto com ninguém.

Chase estava desesperado para descobrir como trazer o amigo Marcus de volta. Como era o mais velho, depois da morte do pai, Marcus tinha assumido aquele lugar. Chase lembrava-se do irmão trocando fraldas e limpando narizes. Ele verificava se todos chegavam à escola no horário certo e levavam a lição de casa na mochila. Por sorte, todos cresceram e passaram a precisar menos dele, e Marcus pôde livrar-se daquela carga de responsabilidade.

Houve uma época em que Marcus fora o mais namorador de todos; era quase como se estivesse compensando o tempo perdido. As mulheres se atiravam para ele, e Marcus não recusava nenhuma delas.

No entanto, desde que começara o relacionamento com a princesa de gelo, Jill, ele tinha mudado de novo. Voltara a usar aquela casca de responsabilidade e maturidade excessivas.

Era engraçado, Chase percebeu de repente, que, enquanto refletia que o irmão devia se livrar das correntes e voltar ao "mercado", ele estava fazendo exatamente o oposto. Mas a verdade era que já havia passado por mais mulheres do que o suficiente. Estava pronto para uma especial.

— Vou ver como Chloe está — Chase disse ao irmão. — Ver se ela não se perdeu neste seu palácio da colina.

Depois de procurar por alguns minutos, encontrou-a no *deck* de trás, a taça vazia de novo. Por um longo momento, Chase teve de ficar parado olhando.

Ela estava deslumbrante.

Não por causa do luar. Não por causa do vestido.

Por causa dela mesma.

Nenhuma outra mulher tinha lhe tirado o fôlego dessa forma. E ele não conhecia nenhuma outra que um dia pudesse provocar esse efeito.

Apenas ela.

— Aí está você.

Ela virou o rosto, com uma expressão cheia de sentimento — e anseio —, e ele teve de se controlar para não correr até ela.

Os dois estavam sozinhos na varanda de trás. Marcus fora para a cama, todos os outros tinham ido embora. E ele sabia, apenas de olhar para ela, que o vinho havia anulado algumas de suas arestas.

Sem conseguir permanecer longe, ele foi para trás dela, colocando as mãos uma de cada lado da grade.

— Uma bela lua hoje, não é?

Esperou que ela o afastasse, mas, estranhamente, ela fez o oposto, virou-se devagar entre os braços dele até encará-lo com aqueles grandes olhos que o faziam derreter.

— Chase.

Meu Deus, ele estava oscilando em uma pequena borda, tão perto dela e, ainda assim, tão longe.

Honra. Por que ele tinha decidido que a honra era importante? Tudo seria tão mais fácil se ele simplesmente pegasse o que queria... e se preocupasse com as consequências depois.

Ela não estava bêbada, mas não estava sóbria também. Ele devia levá-la de volta à casa de hóspedes. Colocá-la na cama.

Sozinha.

Mas obviamente não tinha força para nada daquilo. Tudo o que conseguiu fazer foi falar o nome dela. E desejá-la mais do que já tinha desejado qualquer coisa ou qualquer pessoa a vida inteira.

— Chloe.

Os lábios cheios dela abriram-se um pouco ao som do seu nome. Pela primeira vez, ela não estava tentando esconder seu desejo por ele.

— É inevitável, não é?

Com certeza. Mas ele não podia colocar-lhe palavras na boca. Não naquele momento.

— O que é inevitável?

Cada palavra era áspera. Rouca.

Os olhos dela desceram até a boca dele.

— Este beijo.

CAPÍTULO SETE

Enquanto Chloe passava os dedos pelos cabelos dele e puxava seu rosto, Chase precisou de todo seu autocontrole para manter as mãos na grade.

Mas quando os lábios dela tocaram os dele, apenas a insinuação de um beijo... ele perdeu o controle. Ele queria tocá-la por todo o corpo imediatamente, mas suas mãos foram direto da grade para a parte baixa das costas de Chloe e a curva do quadril.

A boca de Chloe era tão macia, tão terrivelmente macia, conforme ela a roçava contra os lábios dele. Se pudesse, teria prolongado a gentil exploração. No entanto, ele tinha esperado tempo demais por aquele beijo. Chase escorregou a mão para cima das costas, envolveu sua nuca e prendeu-a enquanto saboreava o gosto daqueles lábios maravilhosos. Ela ofegou contra a boca dele e, em algum lugar de sua mente, ele começou a se perguntar se a estava machucando. Foi quando sentiu o contato da língua de Chloe contra a sua.

Ele tinha pensado naquele momento milhares de vezes nas 24 horas anteriores, mas nada do que imaginara, nada do que criara em suas fantasias chegava perto da realidade, do quão macio, doce e sensual era beijar Chloe.

Chase sempre tinha adorado beijar. Para sua surpresa, a maioria das mulheres preferia passar rapidamente por essa parte da sua dança sensual. Mas, na opinião dele, um beijo podia ser tão bom quanto o sexo em toda a intensidade.

Melhor, até.

Sobretudo quando estava beijando Chloe.

Ele poderia passar horas explorando sua boca, prolongando o prazer, e, a julgar pela maneira como ela o beijava também, Chloe gostaria de fazer o mesmo.

Enquanto passava suavemente a língua na dela, deliciava-se com o gosto, o toque, os pequenos gemidos de prazer que lhe provocava naquele momento tão íntimo. Ele se afastou um pouco e sugou com delicadeza o lábio inferior dela, deu-lhe uma mordidinha, depois outra no lábio superior. As línguas se encontraram de novo até ela imitá-lo, provando, lambendo, mordiscando.

— Chloe... — ele gemeu contra os lábios dela e ela lambeu os dele, antes de o olhar, corada e linda e dominada pelo desejo.

— Nunca fui beijada assim antes.

A inocência de suas palavras e seu olhar — como se tivesse acabado de conhecer o paraíso — fizeram que Chase tomasse os lábios dela de novo. Devorando-os.

Chase não fazia ideia de por quanto tempo se beijaram como um homem e uma mulher que estavam famintos um pelo outro, mas, durante todo o tempo, ele prestou muita atenção na pressão suave dos seios dela contra seu peito, além da curva sensual do quadril onde ele a segurava contra o corpo. Estava dividido entre continuar a beijá-la e saborear o restante daquele corpo incrível.

Ela se mexeu um pouco entre os braços dele, pressionando os seios e o quadril com mais força contra seu corpo.

Ele tinha sido agraciado em poder observar a bela pele nua dela quando a vira na banheira na noite anterior. Mas não pudera tocar nela. Não pudera passar a língua nela. Não pudera beijar cada inclinação e cada curva.

Naquele momento, ele podia ter tudo isso.

Chase começou a beijar o rosto dela todo, as maçãs, o queixo, descendo pelo pescoço. Lambeu o contorno das saboneteiras e sentiu o peso dela mais apertado contra seu corpo, como se ela mal pudesse se manter em pé.

Chase aprendera cedo como conseguir uma reação sensual das mulheres e sempre gostara de vê-las ter prazer, tanto quanto gostava de ter prazer ele mesmo. Mas a reação de Chloe — e a necessidade que tinha dela — era diferente da de qualquer outra mulher com quem ele já estivera.

Ele passou a língua naquela pele acetinada de novo e o gemido entre suave e desesperado que ela soltou o fez descer a mão do pescoço para uma alça fina e sedosa em seu ombro. Ela era macia, tão macia que ele quase perdeu a noção do que estava fazendo, mas ela deu um suspiro profundo e trêmulo, os seios mexendo-se contra o peito dele, muito perceptíveis sob o vestido.

E ele se lembrou de por que precisava escorregar a alça pela linda pele daqueles ombros perfeitos.

Uma imagem dos seios dela — a água da banheira formando gotas e escorrendo pela carne macia — estava para sempre impressa em seu cérebro. E, naquele momento, quando ele estava a segundos de poder tocá-los, prová-los, Chase mal conseguia mexer direito as mãos.

Ele precisava abaixar-lhe as alças.

E, logo, a seda escorregava pelos ombros de Chloe e ele nem precisou puxar o vestido, pois ela levantava os braços e balançava suavemente, deixando que a parte de cima do corpete escorregasse centímetro por centímetro, até os seios se revelarem em todo o esplendor.

Chase ficou paralisado enquanto a observava. Seus seios eram perfeitos, cheios e redondos, os mamilos rígidos apontados para ele denunciando o desejo intenso.

Por fim, Chase saiu do transe e, ainda totalmente fascinado, levou mãos e boca ao prazer de tocar nela, quase como numa disputa. As mãos ganharam por pouco, envolvendo-lhe os seios.

— Chase!

Ele, com muito custo, conseguiu tirar o olhar dos seios dela, do contraste da pele pálida contra seus dedos bronzeados, para fitar-lhe o rosto. Seus olhares se encontraram, e a expressão de Chloe o fez aproximar sua boca da dela de novo, ainda com as mãos nos seios.

O beijo dessa vez foi diferente, o desespero de um pelo outro elevou-os a outro nível. Chloe esfregava os seios com mais força nas mãos de Chase, quase como se implorasse por algo.

Por mais.

— Veja, Chloe... — Ele afastou a boca e voltou o olhar para os seios dela enquanto passava os polegares sobre os bicos rijos. — Veja como você reage ao meu toque.

Ela gemeu baixinho enquanto ele acariciava a pele rija de novo, com mais força, e de novo. A pele dela contraiu-se sob os polegares dele.

— *Por favor...*

Ele mal ouviu o pedido dela, o som era mais um suspiro do que palavras, mas ele precisava do mesmo que ela. Chase inclinou a cabeça e ela arqueou as costas para ficar mais entregue. Em um movimento suave, ele percorreu sua pele macia com a língua. Uma parte dele queria passar o restante do tempo lá, com a língua nos seios dela, experimentando cada centímetro da pele tenra, por cima dos dois picos. Mas seus lábios, seus dentes, tinham outras intenções e logo depois ele estava fechando a boca sobre ela, girando a língua, mesmo enquanto os dentes arranhavam levemente a carne dura.

Ela soltou um gemido suave que o fez estremecer perigosamente sob os jeans.

Não havia fingimento na reação dela. Chloe era pura sensualidade, assim como ele sabia que seria. Ele a tinha visto chegar ao clímax na banheira e, agora, via-a se afogando no desejo. Aquilo colocava os sentimentos dele por ela em uma dimensão que jamais conhecera antes.

Eles tinham falado em ser amigos — ela dissera o quanto precisava de um —, mas ele tinha passado as 24 horas anteriores em um estado de excitação constante, desejando-a tanto que não tinha mais como se conter. Puxou-lhe a saia do vestido, ávido, deslizando a mão na coxa nua.

Chase voltou a atenção para o outro seio, sua boca fechou-se sobre o mamilo ao mesmo tempo em que seus dedos encontraram a calcinha dela, úmida de desejo.

— Sim — ela disse em um suspiro, enquanto ele puxava seus seios com os lábios e movia a mão para cima, para poder deslizá-la por trás do fino tecido da calcinha.

Preocupações, reservas… tudo foi jogado para o ar quando ele a encontrou com os dedos. Ela se movimentava entre os braços dele, arqueando-se para que não abandonasse seus seios, ao mesmo tempo em que afastava as pernas para ele ter acesso a suas partes íntimas. Momentos depois, Chloe estava gritando e seus músculos apertavam os dedos de Chase em um ritmo lindo e sem controle, um orgasmo vivo, ofegante sob a boca e as mãos dele.

Sua libertação pareceu durar para sempre, de um pico a outro, e Chase sentiu-se o homem mais sortudo do mundo. Ele não queria fazer nada dali em diante além de levá-la ao orgasmo. Vê-la chegar ao orgasmo. Ouvi-la chegar ao orgasmo.

Ele desistiria de tudo por ela, se precisasse. E valeria a pena, apenas para ser testemunha daquele prazer tão completo, que consumia tudo.

Ele reparara em como tinha sido lindo ela ter um orgasmo na banheira na noite anterior, mas não se comparava ao que vivia agora, aquela mulher deliciosa em seus braços.

Foi incrível, mas, quando ela por fim se acomodou nos braços dele, em vez de estar saciada, fitou-o, implorando:

— Por favor, Chase. Mais. Preciso de mais.

Ele sabia bem o que ela estava pedindo... Ela queria que ele a possuísse, naquela hora e naquele lugar, na varanda do irmão em meio às videiras.

Chase nunca desejara tanto algo. Mas também notara as palavras um pouco engroladas, o olhar embaçado. E não apenas por causa do orgasmo.

Chase não queria que ela estivesse bêbada e sem controle sobre o que estava fazendo. Ele queria acreditar que a dificuldade em pronunciar as palavras tinha que ver com a sensação boa que ele provocava nela e não com o número de vezes em que sua taça de vinho havia sido enchida. Ele podia fazer o que quisesse com ela naquele momento, virá-la e apertar-lhe as nádegas contra o seu membro, enquanto levantava sua saia e baixava sua calcinha. Podia encher as mãos com o peso perfeito daqueles seios enquanto escorregava para o seu interior por trás. E os dois conseguiriam o que desejavam com desespero.

No entanto — maldição —, ele não podia fazer isso.

Não quando sabia que nunca — nunca — conseguiria conviver consigo mesmo se levasse a situação adiante e Chloe acordasse na manhã seguinte sem saber o que tinha feito.

Ele não podia ser mais um homem a tomar algo dela.

Precisava parar.

Imediatamente.

Sem querer assustá-la, tirou devagar a mão do meio das pernas dela, deixando o vestido cair. Um momento depois, puxou a parte de cima da peça, cobrindo os seios que ele mataria para saborear de novo.

— O que você está fazendo? Por que está parando?

— Acho que está na hora de você ir para a cama.

Chloe fez um biquinho, tornando-se ainda mais sensual.

— Não estou cansada, Chase. Ainda não.

Era difícil não beijar mais uma vez aquela boca! Ainda mais difícil não rasgar o vestido dela e possuí-la bem ali, no *deck* de tábuas de madeira.

— Você é linda, Chloe, tão linda, mas não posso me aproveitar de você assim.

Os lábios dela se apertaram com teimosia.

— Você não está se aproveitando de mim. Fui eu que o beijei, lembra?

Era ainda mais difícil do que ele pensou que seria. Porque a última coisa que queria era magoá-la. Não queria que ela pensasse que não estava louco de desejo por ela.

— Estou com mais vontade do que você pode imaginar, mas preciso que você esteja completamente comigo.

— Eu estava com você. — Ela aproximou os lábios da boca dele, sussurrando: — Ainda estou com você.

— Não, querida. — Ele afastou a cabeça. — Não quero que se lembre disto amanhã de manhã e me odeie por ter tirado vantagem de você quando estava bêbada.

— Não estou bêbada!

— Não está totalmente sóbria também — ele se forçou a dizer com voz suave.

Ela parecia arrasada. Por inteiro.

Chase odiava aquela situação.

— Você não sabe como é difícil para mim.

Os passos dela estavam quase estáveis quando ela se virou e começou a se afastar dele, mas, de vez em quando, ela parecia se segurar e se ajeitar sobre os saltos.

Chase sabia que tinha feito a coisa certa.

Mas isso não o fazia se sentir melhor. Não quando podia perceber a dor e o constrangimento irradiar de Chloe durante a silenciosa caminhada de volta à casa de hóspedes.

Ela nem o fitou enquanto esperava que ele abrisse a porta da frente. Embora estivesse desesperado para tocar nela, para abraçá-la, ele a deixou passar.

— Conversaremos pela manhã.

Ela então parou e olhou para ele sobre o ombro por um momento. Seus olhos brilhantes estavam apagados. Sem dizer uma palavra, caminhou para o quarto e fechou a porta com um "clique" suave.

E, quando ele entrou no chuveiro gelado e segurou seu membro, mesmo concentrando-se na imagem mental dos seios dela em suas mãos, mesmo lembrando o gosto dela na sua língua e a sensação da carne excitada e úmida dela apertando-se contra seus dedos, Chase não parava de se perguntar quando a honra tinha se tornado o maldito dever da sua vida.

O que havia de errado com ele?

Tivera uma mulher quente, molhada e disposta nos braços minutos antes.

E havia se afastado dela.

CAPÍTULO OITO

Chloe fez a mala bem cedo pela manhã e tornou a vestir seus jeans e a camiseta.

Chegara longe demais na noite anterior. Desejava Chase com força demais. Por isso não podia ficar no vinhedo mais tempo.

Uma nova cesta de doces e frutas estava no balcão para ela e o orgulho deveria tê-la feito passar direto, mas isso teria sido pura estupidez. Ela não tinha dinheiro para um táxi. O que significava que iria embora andando, por longas estradas de interior até achar uma parada de ônibus.

O orgulho era bom e elegante. Mas não quando ela precisava tanto de combustível para seguir adiante.

Mas o que parecera tão delicioso na manhã anterior agora parecia ter gosto de serragem e ela teve de se forçar a comer um croissant.

É claro que o bilhete dobrado com *Chloe* escrito nele com a letra de Chase também não ajudou. Enquanto ela mastigava e engolia, ficou encarando o papel.

Podia jurar que o papel a encarava de volta.

Seria melhor não ler. Apenas sair, distribuir seus agradecimentos e despedidas e esquecer que tinha conhecido um homem lindo cujos beijos tinham o gosto do paraíso.

No entanto, Chase havia sido muito gentil com ela. Tão gentil, na verdade, que, em vez de levá-la pelo caminho que ela estivera desesperada por tomar na noite anterior, ele tinha interrompido os beijos. Até afastou a mão de sua calcinha depois de ela ter o orgasmo e levou-a para casa sem tocar nela de novo.

Aquele primeiro beijo tinha sido intenso! Maravilhoso! Perfeito! Ela poderia tê-lo beijado por toda a noite. Chloe tinha sonhado com aquele beijo a noite inteira, podia ainda sentir a maneira como quase estiveram respirando o ar do pulmão um do outro. Havia acordado morrendo de vontade de outro beijo… e de poder ficar abraçada a Chase sob uma coberta em algum lugar e apenas beijá-lo a noite toda.

Foi aquela ânsia por ficar abraçada a ele, aquele desejo desesperado de se sentir quente e segura, que deixara tudo mais claro em sua mente. Tinha de ir embora.

Entretanto, a verdade era que ficaria se perguntando o que estava escrito naquele bilhete por todos os segundos de todos os dias se não o lesse. Acabou pegando o papel, tão nervosa que o amassou.

Chloe,

Espero que você tenha dormido bem. Algum dia, em um futuro não muito distante, poderei aproveitar o café da manhã ao seu lado. Estou ansioso por isso. Muito.

Venha nos ver de novo, por favor. Todos gostaram bastante de você.

Até breve,

~~*Sr. Sexy*~~

SR. SEXY

P.S.: Precisa mesmo das letras todas maiúsculas, você não acha?

Em algum lugar entre o *muito* e o *Sr. Sexy* riscado, todas as sensações de formigamento e paixão que Chloe estava tentando esmagar dentro de si despertaram para a vida mais uma vez. Até mais intensas e fortes do que eram antes.

Na noite anterior, ela ficara um pouco tonta e divertira-se, antes de ouvir as perguntas inocentes de Marcus. Foi quando começou a beber o vinho em grandes goles. Chase havia percebido que ela não estava consciente por completo, que o vinho a tinha entorpecido o suficiente para que ela abrisse mão do controle sem pensar em se proteger.

Porém, eles tinham chegado bem perto do que ela queria e uma parte sua não muito secreta desejava que ele não tivesse parado e eles tivessem feito amor. Uma grande parte dela desejava que ele tivesse tirado proveito do fato de ela estar um pouco bêbada.

O que estava errado com ela? Se era isso que ela desejava, então tinha sérios problemas. E sabia que, se não podia controlar a mente — ou o corpo — perto de Chase, então permanecer lá estava mesmo fora de questão.

Não importava que ainda não tivesse para onde ir. Não importava que sua situação com o ex-marido não tivesse mudado e ela ainda precisasse lidar com a polícia e ver o que eles poderiam fazer — se pudessem fazer alguma coisa — para ajudá-la. Já bastava daquela fantasia de "vinhedo das maravilhas", com roupas bonitas, fingindo que aquele homem maravilhoso era dela. Nada daquilo era a realidade. Era apenas prolongar o inevitável por mais três dias: lidar com o ex-marido, certificar-se de que ele nunca mais a machucasse e, depois, reconstruir a vida do zero, garantindo que fosse a vida que *ela* quisesse dessa vez.

Chegara a parte mais difícil: dizer adeus a Chase.

Algo lhe dizia que seria mais difícil do que apanhar do ex-marido. Mais doloroso do que cair com o carro naquela vala. Pior do que ficar parada embaixo de uma tempestade de granizo.

Chase havia sido incrivelmente digno. Ela devia a ele o mesmo respeito. Não ia sair escondida. Não ia deixar apenas um bilhete, como uma covarde.

Precisava ir até o local onde ele estava fotografando as modelos com a equipe, agir como adulta e dizer um adeus adequado para ele. Fugir era para os fracos. Embora a covarde dentro dela ansiasse por levar a melhor, estava na hora de aprender a ser forte.

Era hora de se despedir de Chase.

— Chloe, graças a Deus você está aqui!

Jeremy parecia exausto. E não apenas porque tinha saboreado os produtos da adega de Marcus ao lado do restante da equipe na noite anterior.

— Chase já ia me mandar ver se você tinha acordado. — Os óculos dele estavam tortos, mas ele nem parecia se dar conta. — Alice está com uma virose.

— Vou ver como ela está — Chloe ofereceu-se na mesma hora, largando a mochila no chão.

Jeremy segurou-lhe o braço.

— Não! Quero dizer, um médico foi vê-la, mas não podemos nos arriscar e deixar outra pessoa ficar doente, se ainda não estiver com o vírus.

Chloe balançou a cabeça.

— Mas eu não faço parte da equipe. Posso ficar com ela e você pode...

Ela sentiu a presença de Chase um milésimo de segundo antes de ele ficar em sua linha de visão.

— Precisamos que você assuma o lugar dela — ele falou, antes que Jeremy dissesse qualquer coisa.

Chloe piscou uma vez. Duas vezes.

— Eu? — perguntou, franzindo as sobrancelhas. — O que o faz pensar que eu possa assumir o lugar dela?

— Você salvou nossas vidas ontem.

— Eu costurei um vestido.

— Você fez mais do que isso. Eu a vi conversar com Alice, ajudá-la a combinar as roupas.

Chloe balançou a cabeça.

— Foram comentários casuais. Eu não estava tentando tomar o emprego dela.

— Sei disso. Ela sabe disso. Mas a verdade é que você tem um ótimo olho para cores e estampas. Sabe por instinto o que fica bom. E as modelos confiam em você. Gostam de você. Isso é mais importante do que você imagina. Se elas se sentem bem, ficam bonitas.

Ela abriu a boca para protestar de novo, mas, antes que pudesse, ele se aproximou mais um pouco, o suficiente para que seu coração já acelerado ficasse prestes a pular de seu peito.

— Nós todos precisamos da sua ajuda. *Eu* preciso da sua ajuda.

Como ela podia dizer não para ele? Ele a tinha salvado naquela noite, na estrada. Em vez de se mostrar um estuprador e assassino, Chase tinha sido seu cavaleiro em um cavalo branco. E agora precisava de sua ajuda.

Ela viu o olhar dele baixar para a mochila a seus pés e, depois, subir pela calça jeans até a camiseta e voltar para o seu rosto. Quando o olhar dele encontrou o dela de novo, estava claro que ele sabia exatamente o que ela viera fazer: despedir-se.

Ele não escondeu a decepção. Chloe odiou ver aquilo. Queria de volta o homem que a via como uma mulher linda. Que a olhava com tanto desejo que parecia querer possuí-la ali mesmo, na frente de todos. Deu-se conta de que estivera pretendendo fugir de novo. Não, não queria decepcioná-lo mais uma vez. Essa era a verdade.

— Eu adoraria ajudar — falou, olhando para Chase e Jeremy. — Apenas digam o que eu preciso fazer.

Jeremy arrastou-a quase antes de ela terminar de falar, mas ela teve tempo de ver o sorriso de Chase. E o fato de que qualquer decepção que estivera ali antes havia desaparecido… O desejo e o apreço voltaram aos seus lugares imediatamente.

O dia passou rapidamente. Chase não precisava realmente de muitas orientações com as roupas, e Chloe viu que ele lhe pedia a opinião para que ela se sentisse envolvida. No início, relutou em falar muito. Afinal, não queria estragar a sessão de fotos. Porém, assim como no dia anterior, era difícil não se deixar levar pela magia da situação. Eles estavam criando lindos contos de fadas ali no vinhedo e, sem pensar, ela começou a apertar a cintura dos vestidos e costurar bainhas. Não apenas isso, quando discordava quanto ao arranjo dos acessórios, surpreendia-se ao perceber como suas escolhas eram melhores.

E, durante todo o tempo, embora estivessem cercados pela equipe, a atração pulsava entre eles.

Uma parte dela (a maior parte) queria fugir de novo. No entanto, a cada hora que passava trabalhando com Chase e a equipe, percebia que simplesmente não conseguiria deixar de ajudá-los. Além disso, nos momentos em que esquecia a preocupação, via que estava se divertindo. Bastante.

No final da noite, Amanda disse:

— Ficamos sabendo que há um restaurante mexicano ótimo no centro da cidade.

Chase ergueu uma sobrancelha.

— Nada de *margaritas.*

Chloe podia imaginar como ele agia com as irmãs. Amoroso. Protetor. Mas sem enlouquecê-las com regras e regulamentos.

Era óbvio que ele era um bom irmão. E seria um ótimo pai.

Aquele pensamento a fez congelar, mas ela não teve tempo de analisá-lo porque Jeremy estava perguntando:

— Quer que guardemos lugar para vocês?

Chloe sentiu os olhos de Chase sobre ela, sabia que ele queria que ela tomasse a decisão de ir com o grupo e esconder-se na multidão como uma covarde... ou encará-lo sozinha. Chloe abriu um sorriso:

— Acho que vou ficar por aqui esta noite, de novo.

— Divirtam-se — disse Chase. — Tenho certeza de que Kalen não quer ter mais trabalho com a maquiagem do que já tem, por isso, durmam um pouco, meninas.

— Eu gostaria de ver como Alice está — Chloe falou assim que o grupo se afastou.

Chase balançou a cabeça, concordando.

— Eu também.

O silêncio entre eles estava carregado com todas as coisas que Chloe sabia que não poderiam continuar sem ser ditas por muito tempo. Foram de carro até o hotel onde a equipe estava hospedada. Como se sentiram mal por terem acordado Alice de um sono muito necessário — ela estava horrivelmente pálida e fraca —, eles não se demoraram.

Chase esperou até ter estacionado em frente da casa de hóspedes antes de se virar para ela.

— Precisamos conversar.

— Eu sei.

— Você ia embora.

Não era uma pergunta.

— Sim — ela admitiu com um tom suave. — Eu ia.

— Por quê?

Ela balançou a cabeça, odiava o quanto era difícil ser sincera. Entretanto, sabia que precisava ser.

— É óbvio que não consigo me controlar perto de você.

Os lábios de Chase abriram-se em um de seus belos sorrisos.

— Isso me deixa feliz.

Ela balançou a cabeça.

— Não é bom.

— Por que não? Por que você precisa se controlar perto de mim?

Ela abriu a boca para explicar o motivo, mas, de repente, tudo de que conseguia se lembrar era da sensação boa de beijá-lo, de sentir as mãos dele se movimentando por sua pele.

Tudo tinha sido bom.

— Eu... — Tentou organizar os pensamentos antes de continuar. — Nós...

Maldição. Em vez de os pensamentos se ajeitarem, estavam girando em uma direção louca.

Uma direção muito louca.

Ela estava mudando muitas coisas em sua vida, certo? Então ia parar de fugir. Não ia mais recuar diante de uma ameaça. E ia se impor e conseguir o que quisesse, quando quisesse.

Como ela queria Chase!

Não podia estar pensando isso, sabia que não devia pegar esse caminho, mas...

— Que inferno — acabou murmurando.

Chase ergueu uma sobrancelha e ela se forçou a encará-lo.

— Não acredito que estou prestes a dizer isto. — Ela engoliu em seco e apertou as mãos na frente do corpo em um gesto nervoso. — Na verdade, nem sei *como* dizer.

— Você sabe mesmo como deixar um homem em suspense — ele comentou em um tom um pouco rouco.

Chloe respirou fundo e forçou-se a falar.

— Talvez devêssemos apenas ter um caso.

— Um caso?

Ela podia sentir um rubor percorrer sua pele.

— Claro. Como você disse, por que não? — O nervosismo a fazia balbuciar. — Ontem à noite foi ótimo e você estava certo, eu estava um pouco bêbada e provavelmente teria acordado hoje me sentindo estranha com tudo aquilo. Mas não estou bêbada agora.

— Não — ele disse sem tirar seu olhar intenso dos olhos dela. — Você não está.

— Decidi ficar para ajudar. Pelo restante das sessões de fotografia. Não vou arrumar a mala de novo e procurá-lo para me despedir. Não importa o que aconteça, você pode contar comigo.

Que situação estranha! Por que ele não a agarrava e pegava o que ela estava tentando, de forma patética, oferecer?

— Nós dois obviamente temos uma ligação. Somos adultos e não estamos sendo forçados a nada. Parece fazer sentido que, enquanto eu estiver aqui e você estiver aqui, nós possamos apenas, bem, aproveitar isso.

— Está dizendo que quer transar comigo?

Ela quase teve um orgasmo com o som rouco da voz dele… e o que ele dissera.

— Estou. — A palavra saiu trêmula de desejo. — Muito.

Ele sorriu com a palavra roubada do seu bilhete de café da manhã.

Ela podia sentir, podia ver o quanto ele a desejava. E, ainda assim, ele não a estava puxando para junto do corpo, não a estava possuindo bem ali entre as fileiras de videiras sob o luar.

— De todas as coisas que eu pensei que você me diria hoje, Chloe, essa não estava na lista.

Sério? Ela tinha se matado para dizer tudo o que pensava e ele ia ser digno de novo, não ia?

Não, não, não!

— Beije-me de novo.

— Prometi a mim mesmo que não tomaria de você nada que você não quisesse me dar.

— Eu quero beijá-lo. Quero que você me beije. Passei o dia todo querendo que você me beijasse.

Chase segurou a mão dela, subiu correndo os degraus da entrada e chutou a porta da frente, sem parar na sala de estar, mesmo que significasse esperar mais alguns segundos pelo prazer que ele ansiava. Ele a queria em uma cama, do jeito que imaginara por 48 horas seguidas, nua e corada de desejo — e prazer — com ele.

No final, pareceu que tinha cruzado metade do país só para chegar ao quarto, mas finalmente eles estavam lá. Chase fechou a porta e trancou-a, antes de se forçar a largar a mão de Chloe e afastar-se alguns centímetros.

— Tem certeza de que quer fazer isso?

— Tenho.

Ela não tinha hesitado, mas ele insistiu:

— Certeza absoluta?

— Sim.

Mais uma vez, não houve hesitação, apenas uma irritação crescente nos olhos dela por ele estar demorando. Mas ele gostava muito dela para se arriscar a magoá-la de alguma forma.

— Depois que começarmos, não vou conseguir parar. Eu a desejo com muita intensidade.

Com isso, a fraca irritação que havia nos olhos dela foi afastada pela necessidade, os olhos dela se dilataram com a força de sua excitação.

Ele não queria assustá-la — não queria que ela ficasse com medo nunca mais —, mas ela precisava saber.

— É sua última chance de mudar de ideia.

Antes de ele poder recuperar o fôlego, os dedos dela enroscaram-se nos seus cabelos e sua boca estava na dele, sua língua apertando-se contra a dele. Ele a levantou nos braços e a colocou na cama, sem afastar sua boca nem um segundo. Não havia elegância nem doçura nos beijos deles.

Como poderia, se os dois eram puro desejo?

Os pensamentos de comportar-se como um cavalheiro sumiram rapidamente. Tudo o que importava era Chloe. Venerar o corpo dela.

E amá-la.

CAPÍTULO NOVE

Chloe mal podia acreditar que estava deitada na cama olhando um homem belo como o pecado enquanto ele tirava a camiseta e jogava-a no chão. Ver todos aqueles músculos, o abdômen bem definido, quase a paralisou.

Ela nunca vira alguém como Chase, ao vivo, antes.

— Você é muito bonito.

As palavras escaparam-lhe antes que ela percebesse.

Em vez de responder, ele se posicionou em cima dela na cama, colocando as mãos uma de cada lado do seu rosto e beijando-a até que ela ficasse sem ar. Uma das pernas dele ficou entre as dela e Chloe não pôde deixar de fechar as pernas em volta dele e empurrar o quadril contra os músculos tesos da sua coxa.

Ela já estava tão perto, sabia que chegaria ao orgasmo sem precisar de nada além de outro beijo e da fricção daquela coxa contra ela.

— Chloe...

O nome dela foi um murmuro de anseio dos lábios dele e, sem pensar em mais nada, ela tirou a camiseta e a calça jeans. Ele se afastou para olhá-la apenas de sutiã e calcinha (graças a Deus ela tinha ficado com a *lingerie* boa de sua vida anterior).

Ela sabia que não chegava nem perto da magreza das modelos com quem ele trabalhava, sabia que seu corpo não era perfeito, de jeito nenhum... mas, surpresa, percebeu que Chase não se importava.

Ele gostava dela do jeito que era.

— Por Deus, Chloe. Você está me matando.

Ele estendeu a mão, passou um dedo pelo queixo dela e desceu pelo pescoço, fazendo-a arquear as costas enquanto percorria com seu toque quente e gentil até o vale entre seus seios.

— Você é incrivelmente linda.

— Você já tinha visto meu corpo — ela lembrou.

— Não assim. Não pude tocá-la daquela vez.

Os olhos dele passaram das curvas para seus olhos.

— Não podia beijá-la da maneira como queria.

Como ele conseguia continuar lhe tirando o fôlego se ela tinha certeza absoluta de que não lhe restava nenhum?

— Mostre para mim. Mostre para mim como você queria me beijar.

Ela podia jurar que um rugido soou no peito dele enquanto ele passava uma das mãos em seus cabelos e colocava a outra por baixo do seu quadril para abraçá-la com mais força.

A boca de Chase era quente e, ainda assim, gentil, sobre a dela — aquele desespero inicial de um pelo outro se tornou uma doçura tão grande, uma alegria tão grande enquanto ele provava cada centímetro dos lábios dela, apertando beijos suaves nos cantos, na carne do meio, no centro do lábio superior. E, depois, a língua dele passeou pela curva dos lábios dela, uma jornada lenta e sensual que acordou cada célula do corpo de Chloe. Até que, por fim, ele mergulhou a língua entre os dentes dela e ela o encontrou na metade do caminho, recebendo tudo o que ele lhe dava e devolvendo com mais intensidade.

O corpo todo de Chloe ficara amolecido e flexível contra ele e ela podia sentir que tremia entre as pernas.

— Por favor... — ela sussurrou quando ele levantou a cabeça para inspirar um pouco de oxigênio. — Eu preciso...

Ela não colocava seu desejo em voz alta havia tanto tempo que não conseguiu dizer todas as palavras.

— Vai confiar em mim, Chloe?

Ela queria não ter de pensar nisso. Mas pensou. Confiança não era algo que ainda pudesse entregar com facilidade.

— Eu quero confiar.

O sorriso dele aqueceu-a da cabeça aos pés antes de ele deixar um beijo logo abaixo da sua orelha.

— Querer é um ótimo começo.

Chloe adorou o fato de ele não a pressionar para lhe dar algo que ainda não era capaz e, enquanto ele mudava de posição na cama de novo e começava a passar a língua pelo mamilo de um dos seios, ela deixou escapar um gemido baixo de prazer.

De um para o outro mamilo, ele não se apressou, não correu, apesar dos murmúrios desesperados de Chloe. O olhar que ele lhe lançava quando ele levantava a cabeça era mais do que um pouco atrevido.

Ela abriu a boca para dizer a ele do que precisava, abriu a boca para falar de novo, mas as palavras não saíam.

— Nunca tenha medo de me dizer do que você precisa. O que você quer?

— *Mais.*

Foi a única palavra que ela conseguiu dizer.

A resposta dele foi esfregar o polegar sobre um dos mamilos dela e ela chegou a engasgar com a sensação.

Ela nunca soubera que um sorriso podia ser tão cheio de desejo até olhar nos olhos dele. Ele tocou nos seios dela de novo e, dessa vez, ela arqueou as costas por instinto e disse:

— Sim. Por favor. Mais disso.

As mãos dele movimentaram-se pelas costas dela e, em seguida, ele tirou o sutiã; o ar estava gelado ao chegar à pele excitada dos seios.

— Nunca, nunca vou me cansar de olhar para você.

Embora as mãos dele fossem grandes, os seios não cabiam nelas.

— Nunca vou deixar de desejá-la.

Em algum lugar na mente de Chloe, um alarme foi disparado, dizendo que "*nunca*" não era o tipo de palavra que alguém usasse quando estava apenas tendo um caso. Mas ela estava ocupada demais segurando a respiração, esperando pelo que viria em seguida, para prestar atenção naquele fraco alerta.

— Nunca vou deixar de querer saboreá-la.

Ele baixou a cabeça até seu cabelo macio encostar na pele dela e, depois, a língua dele estava aparecendo para provocá-la.

Eles tinham feito isso na noite anterior, a boca de Chase fazendo-a se desmanchar em desejo, mas ele não dissera o quanto a desejava, como agora.

Na varanda de Marcus, eles tiveram apenas um momento.

Nessa noite, não havia limites. Ele não iria parar depois de fazê-la chegar ao orgasmo.

A única dúvida que restava era: ela ficaria com medo e decidiria fugir de novo?

O gentil puxar dos lábios dele nos seus seios, o perfeito arranhar dos dentes na sua carne sensível e rija fizeram a dúvida desaparecer enquanto sua concentração se fechava naqueles poucos centímetros quadrados que ele estava torturando tão lindamente.

E, depois, ele passou a beijar seu corpo, descendo para a barriga, fazendo-a se contorcer quando a ponta da língua mergulhou na depressão do umbigo. Ela estava perdida nas sensações quando sentiu a cama afundar de novo e percebeu que ele estava ajoelhado entre suas pernas. Uma pressão gentil das grandes mãos na parte de dentro de suas coxas a fez se abrir.

Ela devia ficar tímida, imaginar como poderia ficar deitada ali e deixá-lo vê-la daquele jeito, nua, a não ser por uma calcinha bem indecente, quando os dois mal se conheciam.

Porém, conforme ele pressionava a palma da mão contra o seu sexo e ela sentia o quanto estava molhada, seu cérebro trouxe lembranças, lembranças ruins, de quando ela estivera vulnerável daquela maneira com outro homem. Um homem que a machucara.

Chase tinha sido tão maravilhoso até então, mas e se ele se voltasse contra ela? Ela não o conhecia de verdade. Como poderia, em apenas 48 horas?

Meu Deus, o que ela estava fazendo, deitada ali com as pernas afastadas para um homem que era, na realidade, um estranho?

— Chase, eu…

Ela tentou fechar as pernas, enquanto cobria os seios com as mãos.

Ele logo disse:

— Uma palavra e eu paro.

Ela sabia o que devia fazer. Devia sair da cama, colocar as roupas e tentar fingir que nada daquilo acontecera.

Mas como Chloe desejava aquilo! Como desejava Chase!

Ele dissera, antes de tirarem as roupas um do outro, que, se pegassem aquela estrada, não conseguiria parar. Mas lá estava ele, oferecendo-se para fazer o que ela precisava que ele fizesse.

Chloe sentiu a confiança começar a criar raízes um pouco mais profundas dentro do seu coração e sussurrou:

— Qual palavra?

Ela ficou surpresa ao ver um leve sorriso se formar no rosto dele.

— Que tal *bananas*?

Pasma ao perceber que estava quase sorrindo também, ela perguntou:

— Então, se eu precisar dizer essa palavra, nós paramos?

Ele balançou a cabeça, concordando.

— No mesmo instante.

Ela não podia acreditar na rapidez em que conversar sobre aquilo (e saber que ele manteria sua palavra) fez seu medo recuar.

E o calor ressurgiu.

De repente, em vez de vergonha, só existia a necessidade. Ela tinha de pressionar o corpo com ainda mais força contra a parte de baixo da mão dele, tinha de dizer o nome dele de novo como uma súplica por mais.

— É ainda melhor do que eu pensei que seria.

De alguma maneira, ela conseguiu fazer seu cérebro voltar a funcionar e absorver o que ele dissera:

— O que é melhor?

— Você. Isto.

Seus olhos vagaram pelo corpo dela, para o lugar onde suas mãos cobriam a calcinha, depois para os seios e para o rosto.

— Passei tanto tempo imaginando você assim.

Ela teve de sorrir, apesar da dor pulsante entre as pernas.

— Nós nos conhecemos há apenas dois dias.

— Foram quarenta e oito horas difíceis.

Ele tirou a palma da mão do sexo molhado dela e escorregou os dedos pela lateral da calcinha de renda.

— Durante todos os segundos, eu quis estar aqui com você. Deste jeito.

A maneira como ele puxou a calcinha dela por seu quadril foi pura tortura sensual.

E então ela estava completamente nua diante dele.

— Incrivelmente linda.

As palavras murmuradas fizeram ser mais fácil, para ela, não fechar as pernas enquanto ele a olhava.

— Tão molhada. Para mim.

A mão dele voltou um instante depois, escorregando pelo calor úmido dela.

— Toda para mim.

O toque dele, seus dedos nela, era mais do que ela achava que poderia aguentar, e suas súplicas mudaram.

— Não consigo.

Ela ofegava, sentindo-se desenfreada e sem controle.

— É demais.

Porém, mesmo quando disse isso, sabia que nada no mundo conseguiria arrancar a palavra *bananas* dela.

— Goze para mim, Chloe.

O olhar dela prendeu-se ao dele no momento exato em que seu corpo obedeceu ao pedido. Suas costas arquearam, a cabeça caiu para trás no travesseiro, os olhos apertaram-se e ela gritou o nome dele. O orgasmo parecia não acabar. Ela se sentia mole. Totalmente sem energias. Sem saber quando conseguiria se mexer de novo.

Até que sentiu aquele leve roçar de cabelos na pele dela. Não no seu peito dessa vez, no entanto.

Na parte interna das coxas.

Ela tentou se sentar apoiada nos cotovelos, mas seus músculos ainda não estavam muito firmes.

— Chase?

A única resposta que teve foi uma passada leve da língua dele na sua carne mais íntima. Ele a segurou pelas nádegas e aproximou-a da boca.

Não. Chloe sabia coisas que ele não sabia, não podia saber.

Ela não poderia ter outro orgasmo. Não depois daquele que Chase acabara de lhe dar. Ela ficaria um tempo satisfeita. Chloe abriu a boca para avisá-lo, mas, antes de poder pronunciar uma palavra sequer, percebeu o quanto a sensação era boa.

Seu sexo ainda estava sensível, mas, diferente da maioria dos homens, Chase parecia entender sem precisar que explicassem. Em vez disso, direcionou a atenção para desenhar círculos perfeitamente leves ao redor do ponto que estava ficando mais rijo a cada segundo.

Ela devia saber que seria assim, que ele não pararia até saboreá-la *em todos os lugares.* Mas ainda não conseguia entender até onde sua recém-criada confiança iria naquela noite.

Tinha se sentido descontrolada quando ele a fizera chegar ao orgasmo com os dedos, mas aquele descontrole não chegava aos pés do que a dominou quando a língua e os dedos dele começaram a brincar com ela, com a genialidade de um mestre.

— Ai! Ai! Ai, que delícia!

Na segunda vez, ela nem tinha certeza de quando o orgasmo começara, não conseguia parar para pensar em como Chase podia ter conseguido levá-la até lá de novo tão rápido. Perdida em um mundo de sensações, de puro êxtase, a beleza não vinha apenas da maneira como Chase a estava tocando, lambendo.

O que ela sentia estava presente no homem, nele próprio, em cada coisa gentil que dissera e fizera por ela desde aquele momento perto de seu carro. Sexo não era mais apenas sexo. Em vez disso, era algo muito maior, algo totalmente ligado a uma parte de seu coração que estivera morta por tanto tempo, que tinha imaginado enterrada para sempre.

Foi aquela percepção que a fez voltar do clímax tão rápido. Rápido demais.

Ela esconderia sua reação de Chase se conseguisse, mas ele era muito bom em decifrar suas expressões.

E ela não estava nem perto do estado de espírito para fazer joguinhos.

— Fale comigo — ele pediu.

Em um instante, ele estava deitado ao lado dela na cama, abraçando-a. Ela podia sentir a ereção dele, ainda presa na calça jeans, enorme e pulsante contra seu quadril, mas ele não estava com pressa para terminar o que tinha começado.

Ele não percebia que aquilo só piorava as coisas? Que ele apenas a assustava mais quando era tão doce, quando a colocava em primeiro lugar? Porque ele a fazia desejar coisas, ansiar coisas das quais ela tentara se convencer de que não precisava mais.

Ela balançou a cabeça e forçou-se a dizer:

— Apenas me possua.

No entanto, em vez de fazer o que qualquer outro homem faria, ele simplesmente ergueu uma sobrancelha por causa do termo usado por ela. E pareceu ainda mais preocupado.

— Farei isso — ele prometeu —, mas, em primeiro lugar, quero que você converse comigo.

Ela engoliu em seco.

— Você já sabe o quanto eu o desejo. — Ela fez um gesto na direção do próprio corpo. — Você saberia sem que eu tivesse dito nada.

Ele a beijou nos lábios antes de dizer:

— Diga-me como está se sentindo, linda menina.

A ternura fez que seus músculos tensos voltassem a derreter.

— Pare de fazer isso.

Ele franziu as sobrancelhas.

— O que estou fazendo? Eu a machuquei?

— Não.

A frustração que sentia consigo mesma... e com ele por ser tão maravilhoso... fez a palavra soar clara e rude.

— Você sabe que não me machucou.

— O que há de errado, então?

— Você é perfeito demais!

As quatro palavras saíram quase como um lamento e ele a virou entre seus braços, como se pudesse entender o que ela queria dizer se apenas mudassem de posição. Um instante depois, ela se viu deitada com Chase por cima dela, o peso dele prendendo-a contra a cama.

— Você não gosta de perfeição?

Ele estava passando uma mão pelo braço dela enquanto fazia a pergunta.

— Gosto, mas...

Ele envolveu o pulso dela com os dedos, ergueu o braço dela com delicadeza para cima da cabeça e inclinou-se para dar beijos e mordidinhas na pele sensível da parte de baixo do braço.

— Mas o quê?

— É apenas isso…

As palavras dela sumiram quando ele repetiu as carícias e os beijos no seu outro braço, erguendo-o para cima da cabeça também.

— Isso mesmo — ele murmurou, olhando para a maneira como as costelas dela arfavam suavemente, erguendo os seus seios para perto do peito dele.

— Tão bonita.

Ele circulou o bico de um dos seios, que pediu mais, enrijecendo com o doce carinho das pontas dos dedos dele.

Era difícil ser racional quando ele fazia aquilo, mas ela tinha de pelo menos tentar.

— Devia ser sexo.

Os olhos dele encontraram os dela e ela esclareceu:

— *Apenas* sexo.

Ela o viu ficar paralisado por cima dela e, quando a mão dele apertou mais seu pulso, pela primeira vez desde que chegara à cama dele, ela não pôde deixar de pensar no quanto ele era grande e poderoso. Se quisesse machucá-la, não ia importar se ela gritasse *bananas* a plenos pulmões.

— Não farei isso de novo — ele disse e, antes que ela pudesse perceber o que acontecera, ele tinha soltado o pulso dela e trocado de posição; deitou virado para cima e ela se sentou, nua, sobre ele.

— Não fique com medo, Chloe. — Ele levou as mãos dela para os lábios e as beijou. — Não suporto aquele olhar assustado no seu rosto quando estamos juntos. Não vou segurá-la presa daquele jeito de novo. Prometi que nunca a machucaria e é verdade.

— Eu sei.

As duas palavras sussurradas flutuaram entre eles enquanto ficaram se olhando por um longo momento.

A emoção pulsava e fluía, crescia sem enfraquecer. Era disso que ela tinha medo de verdade.

Não de que Chase a dominasse fisicamente.

Mas de que a força das emoções dele pudesse mesmo atravessar sua armadura.

E, ainda assim, ao mesmo tempo em que o coração dela estava lutando contra o medo e o amor e a dor e a confiança, seu corpo implorava por mais. Por Chase.

A maneira como estava sentada sobre o quadril dele posicionava-a com perfeição na ereção dele. Mesmo o menor movimento, tão pequeno quanto um suspiro, fazia o zíper dele encostar nas suas partes íntimas. Enquanto olhava para Chase, seu lindo peito nu deitado sob ela e entregue a ela, o puro instinto feminino mandou as mãos dela explorarem aqueles músculos, brincarem com os poucos pelos no peito dele e abaixo do umbigo.

— Você devia ser modelo.

Ela o viu tentar sorrir, mas não conseguiu apagar o desejo do rosto.

— Fico contente por você gostar do que vê.

Parecia que ele estava com dificuldade para pronunciar cada palavra e ela sabia por quê. A ereção tinha, surpreendentemente, ficado ainda maior sob o corpo dela.

— Quero ver mais — ela afirmou, com delicadeza.

Chloe escorregou um pouco mais para baixo do corpo dele, mal percebeu seus seios balançando enquanto concentrava-se em abrir o zíper da calça jeans.

— É sua vez — ela disse.

Ele tentou distraí-la segurando seus seios e provando os dois ao mesmo tempo. Ela gemeu e quase cedeu a ele, à deliciosa persuasão dos lábios e língua e dentes. Mas ela queria vê-lo nu também, queria vê-lo por inteiro com a mesma intensidade com que ele parecera querer vê-la despida e entregue diante de si.

Mais concentrada, ela desceu o zíper pelo restante do caminho e, mesmo por trás do tecido da cueca, a ereção pulou na direção dela. Ela tentou tirar a calça, mas suas mãos de repente começaram a tremer.

— Estou bem aí com você, linda menina — ele disse em uma voz rouca antes de assumir a situação e se livrar das roupas.

Chloe sabia que não devia ficar encarando. Não era virgem, mas nenhum homem que já vira ao vivo (ou em fotos) se parecia com Chase.

E, em seguida, ele voltou a beijá-la, os dois corpos nus apertados um contra o outro e apenas aquele contato de peles, o toque dele, quente e duro, os pelos das pernas raspando contra ela, os músculos do abdômen e do peito e dos braços pressionando-a eram a experiência mais erótica que ela já tivera. Mais até do que os orgasmos.

As palavras "você é tão delicioso" saíram e pairaram entre os dois antes que ela pudesse contê-las.

— Muito deliciosa — foi a resposta dele e, dessa vez, era ela quem o beijava, querendo entrar nele e nunca sair para o mundo real de novo.

Completa. Ela se sentia completa com ele. Exceto, seu corpo a lembrava, por uma coisa.

Ela precisava dele dentro de si.

Imediatamente.

O quadril dela posicionou-se sobre o dele e ela estava tão perto... Minha nossa, apenas mais um centímetro e ele estaria apertado contra ela, dentro dela... Quando as mãos dele a seguraram pelo quadril.

— Espere um pouco.

Ela entendeu errado, pensou que a atitude honrada estava aparecendo de novo no pior momento possível e disse:

— Eu quero, Chase. Quero tê-lo dentro de mim. Muito, muito.

O desejo era tão grande, tão avassalador, que sua boca perdeu o medo de dizer em voz alta o que ela queria.

Ela percebeu, tarde demais, que ele estava rasgando a embalagem de alguma coisa. Uma camisinha. Em outro momento, ela perguntaria onde a tinha conseguido, mas não agora, ela só se preocupava em colocá-la nele. E colocá-lo nela.

Juntos, eles deslizaram a proteção de látex sobre o membro ereto e, depois, ele a levantou de novo, colocando-a por cima do seu corpo. A primeira pressão da cabeça grossa e larga do seu pênis a fez ofegar.

— Irei devagar — ele avisou, mas ela não queria ir devagar.

Ela o queria por inteiro. Queria rápido. Queria com força. Queria ficar tão preenchida por Chase que não houvesse espaço para mais nada, nem para o medo ou a preocupação ou os pensamentos sobre o que o futuro guardava.

Ela olhou direto para ele, deixou-se cair em seus lindos olhos, tão intensos, tão cheios de desejo e excitação... e ainda assim gentis ao mesmo tempo.

— Eu desejo você.

As palavras dela soaram como um juramento no quarto.

— Então me possua.

Ele estava fazendo com *que a escolha fosse dela.* Apesar do quanto estava excitado, apesar de poder entrar nela em um piscar de olhos, ele ainda estava garantindo que não tomasse dela nada que ela não estivesse pronta para dar.

Ela afundou sobre o membro dele com um gemido de profundo, profundo prazer. Quando estavam encaixados, ela ficou imóvel para apreciar a sensação maravilhosa. Sob seu corpo, ela pôde sentir como cada músculo estava tenso, mas ele deixou que ela permitisse que ele entrasse mais fundo no seu próprio ritmo.

Ela começou a erguer o corpo, querendo sentir aquele delicioso deslizar de calor e potência, querendo ser completamente dele, e seus músculos internos apertaram-se em volta dele.

— Chloe, querida.

Ela colocou as mãos no peito dele e sentiu como seu coração batia rápido e forte.

E, em seguida, ela começou a se movimentar até os músculos da coxa gritarem, e ele estava entrando nela, mais fundo, mais longe do que ela pensou que ele iria. Ela nunca sentira nada parecido.

Nunca sentira que poderia voar.

Ah, como ela voava, mais e mais alto até gritar o nome de Chase e ele os mudar de posição, seu peso apertando-a contra o colchão enquanto ele seguia com ela para cima, para cima, para cima até o topo e, depois, para além dele, mais e mais.

Chase fizera mais do que lhe mostrar como voar.

Ele voara com ela.

CAPÍTULO DEZ

Chloe acordou na manhã seguinte quando Chase estava prestes a sair do quarto.

Ela tinha achado que o arrependimento tomaria conta dela ao acordar na cama de um homem, que o medo voltaria a pulsar em suas veias pela maneira como confiara nele inocentemente.

Sentia um leve frio na barriga. Mas, exceto por isso, ficou surpresa por perceber que se sentia muito bem.

Quase ótima, na verdade.

Ela afastou o cabelo do rosto e se sentou. Chocada pela maneira como os músculos protestaram contra o movimento repentino, corou ao perguntar:

— Há quanto tempo você está acordado?

Ele cruzou o quarto até perto dela, seus braços e pernas longos e fortes, seu poder e beleza inatos tiraram o fôlego dela quando ele respondeu com um beijo delicado, seguido por um "bom-dia".

Um beijo veio depois do outro, e mais um, até que tudo em que ela conseguia pensar era no quanto precisava dele.

— Você não faz ideia do quanto eu quero ficar aqui com você — ele sussurrou na curva de seu pescoço logo antes de sua língua sair para provar a pele abaixo da orelha.

Ela estremeceu, queria tanto que ele ficasse com ela — que entrasse nela de novo — que pensou que explodiria. Se as circunstâncias fossem diferentes, talvez o puxasse para a cama e o convencesse a esquecer as responsabilidades profissionais por uma hora. Mas não suportava a ideia de causar mais problemas do que já causara.

Assim, em vez de puxá-lo para perto, colocou as mãos no peito dele.

— Estão todos esperando por você.

Os olhos dele estavam escuros, cheios de desejo, enquanto olhava para ela. Ele se endireitou soltando um palavrão mal disfarçado. Assim que ele ficou em pé, ela jogou as cobertas para longe.

— Vou demorar só um segundo.

— Vou para lá mais cedo para preparar tudo. Não precisa se apressar.

Ele se aproximou de novo, puxou o corpo nu dela contra o seu.

— Você é linda! Você me faz querer cancelar a sessão de fotos de hoje e ficar trancado neste quarto.

Chloe queria o mesmo, mas aquela vontade era grande demais, como um oceano tentando expandir e explodir dentro dela e, então, ela brincou:

— Nós morreríamos de fome.

— O que é um dia sem comida quando eu tenho você?

Ela sabia que ele não falava sério e, ainda assim... parecia falar.

Ela libertou-se dos braços dele e foi para o banheiro.

— Preciso apenas de cinco minutos e, depois, irei ajudá-lo.

Os olhos dele estavam escuros com o desejo que sempre estava lá... e mais alguma coisa que ela precisava de um tempo para reconhecer.

— Eu estimo muito a sua ajuda.

Lá estava, ela percebeu enquanto um calor espalhava-se por seu corpo. Ele a estimava. E não apenas pelo que tinha acontecido entre eles na cama. Eles trocaram sorrisos. Ela estava se inclinando para ligar o chuveiro quando o ouviu chamar:

— Chloe?

Com uma sensação surpreendente de conforto ao estar nua perto dele, ela respondeu:

— Hum?

— Lembra-se daquela primeira noite, quando eu a encontrei na banheira?

Outro rubor acompanhou o sorriso dela.

— Acho de verdade que nunca poderei esquecer.

— Nem eu — ele concordou com um sorriso malicioso, que dizia que ele não tinha a intenção de esquecer. Em seguida, ele continuou: — Não consigo deixar de pensar no que teria acontecido se nós já nos conhecêssemos melhor.

— Eu também penso nisso — ela murmurou ao ligar a água quente e entrar debaixo do jato.

Ela podia sentir o olhar de Chase nela através da porta de vidro, mesmo depois de ter ficado embaçada.

Chloe sorriu, sentindo-se bonita e maravilhosamente feminina enquanto se ensaboava e lavava os cabelos. Já estava ansiosa por aquela noite, depois de terminada a sessão de fotos, quando ela e Chase poderiam repetir todas as coisas maravilhosas que tinham feito na noite anterior.

Porém, depois de ele ter colocado aquela imagem na cabeça dela, da banheira, do que os dois poderiam fazer juntos ali... a ansiedade estava quase a enlouquecendo.

Quando saiu do chuveiro, Chase já havia deixado o quarto. Ela enrolou uma toalha nos cabelos e outra no corpo. Enquanto secava o cabelo, tentou não olhar com atenção o machucado no rosto. Estava desaparecendo. Na verdade, tinha se esquecido dele na noite anterior, quando fazia amor com Chase. Porque ele não olhava para ela como se houvesse algo errado.

Ele a olhava como se ela fosse mesmo linda.

Quando voltou ao quarto, viu que Chase tinha dobrado sua calça jeans e sua camiseta e as colocado em uma poltrona no canto. Como ela gostaria de queimar aquelas roupas. Mas era o que estava vestindo para pintar seu pequeno apartamento de uma cor mais alegre quando o ex-marido a surpreendera.

No dia anterior, ela havia se forçado a vestir de novo aquelas roupas horríveis porque estava planejando ir embora depois de se despedir de Chase. No entanto, como não iria mais embora até as sessões de foto terminarem, não pôde deixar de pensar na arara com roupas lindas na sala.

Roupas que ela não podia pagar.

Seu coração apertou quando olhou novamente para o jeans surrado.

Seria mesmo ruim se usasse uma ou duas daquelas roupas novas? Pagaria a Chase assim que pudesse.

Ela sabia que estava racionalizando a situação e esforçou-se para encarar o motivo real de querer usar roupas novas: seria como uma promessa a Chase de que não ia embora. Devia isso a ele, no mínimo.

Ela espiou a sala de estar para ter certeza de que não havia mais ninguém lá antes de caminhar até a arara.

— Saí apenas para encontrar uma roupa — explicou a Chase.

O sorriso dele lhe disse que entendia a mensagem que ela estava mandando. Chloe nunca conseguira dizer tanto a um homem sem falar uma palavra. Provavelmente porque nunca encontrara um homem que a entendesse de verdade.

Até então.

Aquele pensamento fez suas pernas tremerem um pouco enquanto ela ia até a arara.

— As roupas ficarão ótimas — ele comentou antes de segurar a toalha enrolada no corpo dela enquanto ela passava e puxá-la para baixo de um seio —, mas isto pode ser ainda melhor.

E os lábios dele estavam nela, puxando, sugando, e ela estava se derretendo em uma poça de desejo.

— Vai se atrasar — ela o lembrou, sem fôlego.

— Não importa.

As palavras dele ficaram abafadas contra o outro seio, que ele descobriu puxando de novo a toalha. Um instante depois, a toalha estava no chão e ele puxava Chloe para o colo, as pernas dela abraçando-lhe a cintura.

Alguém poderia entrar, Marcus poderia passar por ali a qualquer momento, uma das modelos ou Jeremy poderia precisar conversar com Chase antes de iniciar a sessão de fotos. Porém, em vez de falar sobre todas aquelas preocupações, Chloe abriu o botão e o zíper da calça de Chase.

Ele tirou uma camisinha do bolso e... *oh, isso!* Um momento depois, ele estava levantando o quadril dela, descendo-a sobre ele e entrando. As bocas devoravam-se e as mãos dele estavam ocupadas, uma segurando e apertando-lhe a curva das nádegas enquanto ela dançava sobre ele, a outra em um seio, provocando a carne sensível entre o polegar e o indicador, uma pressão incrivelmente sensual que descia direto para o sexo dela.

Ela estava chegando ao orgasmo rapidamente, seus músculos internos apertavam-se e prendiam-se ao redor do membro dele até que ele endureceu, puxou-a mais para perto e gemeu o nome dela em um beijo.

O coração de Chloe estava disparado quando ela apoiou a cabeça na curva do pescoço dele. Ele tinha um gosto limpo e sexy, como um homem que tivesse acabado de dar a uma mulher um prazer incrível à mesa do café da manhã.

— Como eu disse — ele murmurou com a boca nos cabelos dela —, prefiro você ao café da manhã.

Ela não podia acreditar que ainda estava sentada ali, com as pernas em volta dele e um sorriso no rosto.

Mas estava.

— A noite passada… agora… foi tudo maravilhoso. Simplesmente maravilhoso.

Ela sentiu os braços dele a apertarem por um momento e imaginou se tinha errado em dizer aquilo, dizer como se sentia quando estava nos braços dele.

Mas ele deu-lhe uma leve palmada no traseiro e disse:

— Encontre uma roupa antes que eu a leve de volta para o quarto e a gente se atrase mesmo.

O mais fácil a fazer era dizer a si mesma que tudo estava bem.

O caso deles estava indo bem. E ainda era apenas um caso.

Definitivamente, apenas um caso.

Dez minutos depois, eles saíram para o vinhedo. Sinais da neblina da manhã permaneciam sob o sol nascente, que prometia calor. E, ainda assim, apesar da beleza ao redor, apesar de as sessões de fotos estarem indo bem, apesar de Chloe ter confiado seu corpo a ele de boa vontade mais de uma vez, algo incomodava Chase.

Não havia dúvidas. Chloe estava certa. A noite deles juntos tinha sido mais do que maravilhosa.

No entanto, aquela coisa toda da honra ainda o incomodava, um sentimento de que ele devia ter tido mais controle, ter esperado até que ela estivesse ainda mais preparada para tudo que ele queria lhe dar... Quando mais do que apenas o corpo dela quisesse estar com ele. Porque ele queria mais dela do que algumas noites. Queria muito mais do que um caso.

Eles estavam perto da enorme piscina infinita de Marcus, que tinha vista para os morros ondulantes lá embaixo, quando o irmão apareceu, cumprimentando:

— Bom dia.

Chloe virou-se para ele com um largo sorriso.

— Oi, Marcus. — Ela fez um gesto para a piscina. — Sua casa é mesmo linda.

Chase viu Chloe corar ao perceber o adjetivo que usara.

Linda. A palavra especial dele para ela.

— É deslumbrante — ela corrigiu logo depois, como se tivesse reconhecido que aquela palavra estava proibida para qualquer coisa além daquilo que ele via ao olhar para ela.

Todos se calaram por alguns instantes para apreciar a vista estonteante. Depois, Marcus virou-se para Chase.

— Desculpe-me por não ter vindo vê-lo ontem. Precisei resolver um problema na cidade.

— Se precisar da minha ajuda para qualquer coisa, me avise.

Chase fez uma oferta leve, tranquila. Mas queria garantir que o irmão soubesse que ele estava lá para lhe dar apoio, qualquer que fosse a situação com Jill. O fato de Chase não gostar dela não significava que não pudesse ajudar.

Jeremy apareceu, indagando:

— Já tomaram café?

Sua voz parecia a de um morto.

Quando ele viu Marcus, tropeçou e teria caído na piscina se Chloe não tivesse segurado seu braço bem a tempo.

— Ma... Marcus.

— Fiquem à vontade para usar a minha cafeteira.

A mãe os criara para aceitar todas as pessoas, gays, heterossexuais ou outras, e Marcus sempre lidara bem com a adoração de Jeremy, cuidadoso para não alimentá-la ou dar falsas esperanças, mas sem ser cruel.

Mesmo assim, quando Jeremy abriu e fechou a boca sem dizer nada, Chase ficou grato por Chloe segurar com mais firmeza o braço dele e dizer:

— Vou com você e você pode me contar qual será o trabalho de hoje. Mal posso esperar para colocar as mãos em mais roupas bonitas.

Quando os dois sumiram de vista dentro da casa, Marcus perguntou:

— Chloe está trabalhando com você agora?

Chase explicou rapidamente a situação de Alice.

— Parece que Chloe está sempre salvando o dia para você — Marcus observou. — Talvez deva colocá-la na sua equipe permanente.

— Quero que ela seja mais do que parte da minha equipe.

Marcus nada comentou por um longo momento.

— Disse isso para ela?

— Não. — Ele já sabia o que Chloe diria. — Preciso descobrir o que aconteceu com ela na noite em que nos conhecemos.

No entanto, mesmo assim, mesmo se ela um dia confiasse a ele seu passado, seus problemas, ele não estava convencido de que ela escolheria ficar com ele... Nem de que escolheria amá-lo.

Chloe trabalhou ainda melhor no segundo dia, como se tivesse nascido para aquelas tarefas. Mesmo quando Chase fez uma série de fotografias na água, e precisou que as modelos entrassem na piscina, ela não teve medo de entrar também. Depois de cair, emergiu com uma risada e, repetidas vezes, segurou a respiração e mergulhou para fazer ajustes com agulha e linha e grampos e alfinetes.

Chase estava trocando de câmera quando foi interrompido pelo doce som da risada de Chloe. Incapaz de parar de olhar, ele a viu na piscina, cercada pelo sol e pelo céu azul e um grupo de pessoas que passara, em pouco tempo, a adorá-la... e respeitá-la.

O jantar com as modelos e a equipe naquela noite foi repleto de risadas, em especial quando Jeremy implorou a Chase que contasse suas histórias da vida na estrada.

Quando o flã foi trazido para todos, Chloe estava enxugando os olhos depois de rir de uma das melhores anedotas dele.

— Por favor, fale sério. Não importa o que todos digam, recuso-me a acreditar que você realmente tenha entrado na jaula do zoológico com os leões.

— Entrei sim — ele disse com um tom fingido de ofensa. — Eles pegaram comida nas minhas mãos.

— Estavam é se preparando para comer suas mãos — ela disparou.

Ele encolheu os ombros, pegando um pouco da sobremesa com uma colher para dar a ela. Não poderia ter ficado mais feliz quando ela comeu da colher dele sem a menor hesitação.

— Viu? — ele disse para que apenas ela escutasse. — Pegando a comida na minha mão.

Ela revirou os olhos, mas o rubor que começou a subir por seu rosto disse a Chase que ela acabara de perceber o quanto os dois estavam próximos naquela noite. Ele tinha tocado na mão dela várias vezes e não desviara de seu olhar a noite toda, como um adolescente apaixonado.

— Sua mãe ficou sabendo que você fez isso?

Ele sorriu.

— Não exatamente.

Todos estavam conversando sobre outros assuntos, mas Chloe não largou as fotos dos leões.

— Por favor, diga que você era mais novo. E bem menos esperto.

Ele fez a expressão mais solene que podia.

— Eu era. — Esperou um pouco. — Já deve fazer um ano desde que fiz esse trabalho. — Pôde ver que ela estava tentando não sorrir. E não estava conseguindo. — Você teria ficado preocupada comigo, linda Chloe?

A boca de Chloe se abriu um pouco e ele percebeu seu erro quando passou de uma leve ereção para uma total em milésimos de segundos. Fora necessário sair com a equipe e as modelos naquela noite. Porém, todos os segundos que passava com o grupo eram segundos a menos em que poderia estar sozinho com Chloe.

— Teria importância?

Ele continuou olhando nos olhos dela, de repente sério.

— Sim, teria importância. Se eu a conhecesse na época, nunca teria arriscado tudo pela foto perfeita.

— Não?

Ele deslizou a mão pela mão dela, por baixo da mesa.

— Não.

Mas ele arriscaria tudo por ela.

CAPÍTULO ONZE

No momento em que pisaram na casa de hóspedes, Chase beijou Chloe do jeito que passara o dia todo desejando. Beijou-a na boca, no queixo, no pescoço e depois sentiu os batimentos do coração dela sob seus lábios, sua língua.

— Você tem uma pele tão linda, tão macia.

Ele escorregou as alças do vestido de seda.

— Seios tão lindos e receptivos.

Ele deixou beijos nas aréolas que apareciam acima do bojo do sutiã.

— E faz sons tão lindos quando eu a beijo.

Quando voltou a olhar nos olhos dela, encontrou-os cheios de desejo. E também de uma emoção crescente que ela simplesmente não conseguia esconder dele.

Ele não queria se apressar naquela noite, queria amá-la devagar e tranquilamente, levar a noite toda se precisasse. Em vez disso, falou:

— Não consigo esperar mais um segundo.

Ao mesmo tempo em que ela implorava:

— Depressa.

Ela tirou a calcinha enquanto ele se livrava da calça e da cueca.

— Por favor, diga que você tem uma camisinha — ela pediu e, por sorte, ele tinha uma, que havia colocado no bolso naquela manhã, caso surgisse a oportunidade de escapar da sessão de fotos e fazer amor com ela.

Um momento depois, ele já tinha colocado a camisinha e a estava levantando para que o vestido se enrolasse na cintura dela. Chloe envolvia-lhe o pescoço com os braços, as pernas em torno de seu quadril, enquanto ele a penetrava.

Ela ofegou dizendo o nome dele e ele encontrou sua boca e a beijou. Mas foi mais do que um beijo. E o que estavam fazendo juntos era muito mais do que sexo urgente encostados na porta da frente.

A língua dela passeou pelo ponto do ombro dele que ela tinha mordido no auge do clímax.

— Eu não queria machucar você! — exclamou, pasma, para o que fizera na pele dele. — Nunca fiz nada assim antes.

Ele estava mais do que feliz por ela começar a se soltar de verdade.

— Você é que vai ficar com marcas da porta se eu não levá-la para o banho imediatamente.

Com as pernas dela ainda em volta do seu quadril, ele a carregou pela casa até o quarto. Ao passar para o banheiro, continuou com ela no colo enquanto abria as torneiras e verificava a água.

— Perfeita.

Depois de tirar o vestido dela e o sutiã, ele a desceu até a banheira. Ela parecia relutante para soltá-lo.

— Você não vai entrar também?

Ele não disse nada no começo, apenas absorveu a imagem dela. Adorava a forma como ela se segurava nele. Estar com ela assim era tão natural, tão certo. Chase sabia que nunca poderia ficar com uma mulher que passasse a vida preocupando-se com o que comia, se tinha celulite ou não, ou um centímetro extra na barriga. Ele passava o dia todo com mulheres (e homens) que eram obcecadas com a imagem exterior.

A autoconfiança natural de Chloe, que ele estava vendo ressurgir rapidamente a cada hora, ao lado da sua beleza muito natural, era o antídoto perfeito contra toda aquela vaidade e autocrítica. Ele adorava o fato de as unhas dela não estarem pintadas, de ela não estar depilada por completo entre as coxas, de ela não ter pintado o cabelo nem clareado os dentes. Ela tinha o visual que uma mulher devia ter.

— Você está me encarando.

— Sim, estou. E você é tão linda que vou encará-la muito mais.

Ela corou.

— Entre comigo na banheira.

Mas embora ele estivesse desesperado para entrar na água com ela, tinha passado o dia todo pensando na conversa que tiveram pela manhã.

"Lembra-se daquela primeira noite, quando eu a encontrei na banheira?"

"Acho de verdade que nunca poderei esquecer."

— Você está na banheira de novo.

Ele fez uma pausa.

— E nós nos conhecemos melhor agora.

— Com certeza — ela concordou, delicadamente.

A questão ficou pairando entre eles: o que teria acontecido naquela noite se ela tivesse confiado nele? E havia alguma chance de que ela confiasse nele agora o suficiente para o que ele estava pedindo que ela fizesse?

Havia apenas uma saída.

— Imaginei milhares de vezes como aquela noite podia ter sido diferente — ele disse em voz baixa.

E foi quando ele viu animação e excitação novas no belo rosto de Chloe. Ela olhou para baixo, lambeu os lábios e respirou fundo. Quando voltou a olhar para ele, estava transformada: uma criatura sensual da cabeça aos pés.

— Por que não descobrimos?

Ela não lhe deu tempo de pensar antes de continuar:

— Acho que vou me ensaboar agora.

A voz dela estava rouca e quase bastou para que ele esquecesse tudo, mergulhasse e a colocasse sobre seu corpo de novo.

Em vez disso, forçou-se a dar um passo para trás, depois outro, até encostar na pia. Tirou a camiseta e ficou parado, nu, a ereção pulsando com força contra sua barriga enquanto a via pegar o sabonete.

Naquela primeira noite em que a vira na banheira, ele devia ter saído do banheiro no mesmo instante. Mas nada no mundo o teria arrancado de lá. Maldição, a casa toda poderia estar desmoronando ao redor deles e ele ainda teria ficado lá, incapaz de fazer qualquer coisa além de olhar Chloe.

Nessa noite, ele estava de novo no banheiro, vendo-a começar a passar o sabonete devagar e sensualmente pela perna esticada. Ela tinha uma pele tão macia, músculos tão bonitos nas coxas e na batata da perna, dedos tão lindos nos pés.

Lentamente, ela baixou a perna na água e ergueu a outra.

A ereção dele parecia algo vivo contra o abdômen, a um passo de arrastar o restante do corpo até a banheira para chegar a ela. Como sabia que tinha de agarrar alguma coisa para não correr até Chloe, pegou uma toalha do suporte ao lado e apertou com tanta força que poderia rasgá-la.

Chloe não precisava olhar para Chase para sentir a força pronta do desejo dele do outro lado do banheiro. Ela adorava o quanto se sentia poderosa, provocando-o assim. E adorava o fato de que o desejava tanto quanto ele a desejava.

"Nossa", ela pensou com um gemido mal reprimido, seria ótimo quando ele por fim entrasse com ela na banheira.

Era tão tentador simplesmente ceder àquela necessidade, jogar o sabonete e segurar o homem maravilhoso que estava do outro lado do banheiro observando-a com total luxúria.

Mas a ansiedade daquele momento apenas faria com que fosse mais doce quando finalmente acontecesse.

Ainda assim, ela tinha de se esforçar muito, muito para manter a voz estável enquanto continuavam com seu jogo sensual.

— Espere só um segundo, tudo bem? E, depois, você pode me passar a toalha. — Não conseguiu controlar um leve sorriso enquanto olhava para ele: — Você não se importa de esperar, não é?

— Não.

Sem se preocupar em esconder o sorriso pela forma abafada como aquela palavra soou, ela mergulhou o sabonete de lavanda de novo na banheira. Com ele molhado, começou o lento processo de ensaboar a base do pescoço e, depois, mais para baixo. E mais ainda.

Os bicos dos seios já tinham enrijecido sob o calor do olhar dele, mas, conforme ela se aproximou deles com a espuma, não pôde acreditar em como a pele parecia mais sensível.

Quase como se um toque de seus dedos cheios de espuma — combinado com o devastador desejo nos olhos de Chase — fosse suficiente para que ela gritasse o nome dele.

O sabonete escorregou das mãos dela e a água espirrou em seu rosto.

A voz de Chase veio do outro lado do banheiro, baixa e quase desesperada.

— Acho que o sabonete escorregou entre as suas pernas.

Ela não fazia ideia do que a dominou então, como uma travessa sedutora tinha se apossado dela tão rápido? Se em algum momento houve oportunidade para a dúvida... e o medo... erguerem suas horríveis cabeças, era aquele. Era ali. E a verdade era que uma grande parte de Chloe estava chocada com o modo como seus desejos escondidos ferviam um após o outro com Chase... e como ela estava mesmo liberando-os.

A atitude inteligente e racional seria acabar com aquele jogo, antes de ir mais longe. Deveria estar fazendo todo o possível para esconder de Chase a verdade de quem ela era, garantindo que ele nunca pudesse voltar, um dia no futuro, e machucá-la com isso.

No entanto, quando olhou para ele, simplesmente não conseguiu encontrar uma maneira de reconciliar todos aqueles medos com o belo homem que segurava a toalha como se sua vida dependesse disso. E, acima de tudo, o corpo dela não se importava com seus medos naquela hora. Não quando uma satisfação tão boa esperava por ela nos braços dele.

E foi por isso que ela se ouviu dizendo:

— Talvez eu tenha mais sorte se procurá-lo engatinhando.

Chase ofegou.

— Não sei se vou sobreviver a isso.

Mais devagar, com cuidado, na banheira escorregadia e ensaboada, ela se mexeu até ficar ajoelhada. A água escorria pelos seios. Estendeu a mão para a água procurando o sabonete e disse:

— Ah, ali está o danadinho.

Um instante depois, ela estava engatinhando de verdade, levantando o corpo da água o suficiente para sentir um sopro de ar frio passar entre as coxas e até a barriga, antes de pegar o sabonete e voltar a ficar ajoelhada.

Ela podia ouvir a respiração pesada de Chase enquanto tirava o cabelo molhado do peito e dos ombros com a mão livre e, depois, passava o sabonete pela base do pescoço, os braços, a barriga e, por fim, os seios.

Ela ensaboou um dos seios e, quando ele ficou ainda mais rijo, ele gemeu. A verdade era que Chloe mal conseguiu segurar seu próprio gemido de desejo quando perguntou:

— Está tudo bem, Sr. Sexy?

Ela não fazia ideia de como havia conseguido fazer a pergunta com a voz tão firme.

Ele soltou uma risada engasgada com o apelido.

— Tudo está perfeito.

A voz dele não estava tão firme quanto a dela. Ele balançou a cabeça, olhando seu corpo nu na banheira.

— Você vai ficar bem limpa.

Sim, ela iria. Porque ainda não tinha acabado. Nem de longe.

Com as mãos em forma de concha, ela pegou um pouco de água e despejou pelo peito. A espuma desceu pelos seios e a barriga.

Quando já tinha tirado a espuma do peito, ela pegou o sabonete e olhou direto para Chase. O queixo dele tremia e suas mãos estavam fechadas e apertadas nas laterais da toalha. Ela não podia ver a ereção por trás do tecido, mas não precisava.

— Resta apenas um lugar onde preciso ficar limpa.

Ela não desviou o olhar do seu belo *voyeur* quando se levantou, de maneira que as nádegas e a parte superior das coxas ficassem para fora da água. Afastou os joelhos para os lados e, depois, colocou o sabonete logo abaixo do umbigo.

Chloe sentia que era feita apenas de terminações nervosas. O sabonete caiu de novo da sua mão, mas, dessa vez, ela não ia pegá-lo no fundo da banheira. Precisava desesperadamente se tocar e perdeu o fôlego com rapidez enquanto seus dedos acariciavam o próprio sexo.

— Não pare.

A respiração de Chase estava tão acelerada quanto a dela.

— Por favor, não pare.

E, conforme ela deixava os dedos continuarem tocando e deslizando por sua umidade até sentir os tremores aumentando lá embaixo, de repente ele estava lá com ela, seu enorme corpo enrolado nela, seu calor afastando o frio que restava. Com um movimento forte, ele entrou nela completamente e ela deslizou nele com a mesma força, querendo-o ainda mais fundo, ainda mais perto.

A água espirrou para toda parte enquanto ele a segurava com um braço ao redor da cintura e entrava nela de novo e de novo, e ela pedia *mais, mais, mais* até que o orgasmo com o qual estivera provocando Chase combinou-se ao jato iminente dele, crescendo o bastante para penetrá-la por completo, como uma onda no oceano.

Chloe sorriu para Chase enquanto ele a secava, e ele adorava a maneira como ela se entregava ao toque dele, em vez de se afastar como antes. Ele a ergueu, foi para a cadeira do canto e colocou-a no colo. Ela se enrolou nele como uma gatinha feliz, com a cabeça encostada em seu peito.

— Obrigado por confiar em mim.

Ela levantou a cabeça rapidamente. A cautela voltou à expressão dela quando disse:

— Eu gosto de você. Muito. Mas…

Chase pensou que devia ter ficado de boca calada. Devia aproveitar o que estavam fazendo e dar mais tempo a ela. Mas, maldição, sentia-se pronto. E queria que Chloe também se sentisse.

— Sei que ainda não confia em mim completamente. Mesmo não gostando disso, eu entendo. Pelo menos, acho que sim.

Ele esperou que ela dissesse alguma coisa sobre o que tinha acontecido a ela. Esforçou-se para afastar a decepção, mas soube que tinha estragado tudo quando acabou dizendo:

— Não quero apenas um caso.

Ela ficou tensa no mesmo instante e tentou se afastar. Como ele sabia que ela faria.

— Mas é o nosso acordo.

— Não. Eu nunca concordei.

— Concordou sim!

— Você queria apenas um caso e eu estava esperando convencê-la a mudar de ideia. Assim como espero que um dia você se permita confiar em mim por completo.

— Não estou atrás de um relacionamento. Você sabe disso.

— Sim, mas não sei por quê. Conte o que aconteceu.

— Não fugi de um homem para acabar mergulhando em um relacionamento com outro — ela começou a dizer, e ele podia ouvir a hesitação na sua voz, podia ver o quanto ela queria encerrar a conversa, pelo modo como apertava a boca.

Chloe levou a mão ao rosto de novo e ele quase morreu por não tomar a iniciativa e puxá-la para baixo. E, por isso, ele a admirou como nunca quando ela baixou a mão por iniciativa própria e concordou:

— Mas você tem razão. Não é justo eu ser tão vaga. Não lhe contar o motivo. — Ela suspirou e seus olhos ficaram ainda mais escuros. — Para resumir, eu fui casada e não foi bom.

— Mesmo no início?

Ela balançou a cabeça.

— Não. No início parecia ótimo. Bem, parecia bom, pelo menos. — Ela franziu o nariz. — Para ser sincera, eu fiz essa pergunta a mim mesma centenas de vezes. Por que me apaixonei por Dean, para início de conversa?

— Respirou fundo. — Sabe o que acho que descobri? — perguntou em um tom suave.

Ele estava mais do que feliz por ela estar enfim conversando daquela forma e respondeu, com delicadeza:

— O quê?

— Quando estávamos olhando a sua foto de família, sempre que você falava de todos… — A voz dela ficou mais baixa. — Eu queria aquilo. Queria tanto. Queria ser parte de uma família carinhosa e divertida e que me amasse.

— Você é filha única?

Ela confirmou balançando a cabeça.

— Mas não é só isso. Meus pais nunca foram muito abertos em relação aos seus sentimentos. Sei que eles me amam, mas não me lembro de já terem me dito isso. Não me lembro de muitos abraços.

O coração de Chase doeu ao pensar na menininha dentro de Chloe que ansiava por aqueles abraços. Ele queria compensar cada abraço que ela não havia ganho. A partir daquele momento.

— Quando conheci o Dean, eu era jovem e boba e desesperada atrás de carinho.

Os olhos dela encontraram os dele.

— Acontece que eu tinha péssimos instintos, pelo menos quando queria tanto que uma coisa fosse verdade, mesmo não sendo.

Ela encolheu os ombros como se quisesse diminuir a importância daquilo.

— Ele foi gentil no início. E fiquei tão feliz ao sentir que enfim eu tinha alguém. Que eu fazia parte de um time. Mas nós não éramos como um time. Depois de alguns anos, Dean começou a me controlar, o que eu fazia, quem eu via. Ele gostava de me manter como um lindo objeto que lhe pertencia. Como a casa chique e o carro do ano. Eu era apenas mais uma coisa bonita a ser tirada do armário trancado para exibir aos outros.

Chase queria dizer mil coisas diferentes para Chloe sobre a idiotice do seu ex-marido. Queria dizer que não era culpa dela acreditar que ele fosse um homem melhor e mais gentil do que era na verdade. Queria mostrar sua revolta contra a injustiça que o ex-marido fizera com ela. Porém, não queria fazer nem dizer nada que pudesse interrompê-la. Assim, esforçou-se para engolir seus sentimentos e apenas perguntar:

— Quando você decidiu ir embora?

— Um dia, eu estava sentada no clube de campo com as esposas de vários amigos dele, com quem eu não tinha muito em comum, e percebi que tinha sido engolida pela situação. Tentei conversar com ele a respeito, mas ele não estava interessado em ouvir. — Ela engoliu em seco. — Foi a primeira vez que ele me assustou.

Chase fez força para evitar que seus músculos se endurecessem de raiva e ela pudesse perceber.

— O que ele fez?

— Nada físico. Porém, começou a beber mais e mais e parecia que não escutava nada do que eu dizia. Quando acordei na manhã seguinte, todo o meu material de *quilting* tinha desaparecido. Meus tecidos. Minhas máquinas. Tudo.

Dessa vez, Chase não se conteve:

— Que imbecil!

Chloe estava mais tensa quando continuou:

— Algumas semanas depois, quando por fim enxerguei como seria o restante da minha vida vazia com um homem que não me amava de verdade, pedi o divórcio e me mudei para Lake County.

— De alguma maneira, você devia saber que não seria seguro ficar na cidade.

Ela balançou a cabeça, dizendo:

— Não. — Depois, fez uma pausa e franziu as sobrancelhas. — Bem, talvez. Acho que por isso senti que tinha de ir embora... Eu amo São Francisco, mas senti que precisava de um novo começo. Não queria o dinheiro dele, queria apenas minha liberdade de volta. Liberdade para trabalhar nas minhas colchas. Liberdade para escolher meus amigos. E até liberdade para usar jeans velhos ou sapatos que não fossem assinados por um designer. Meu apartamento nunca pareceu minha casa, por mais que eu quisesse. Por mais que eu precisasse disso.

Ela suspirou.

— Mas não tinha problema. Dizia a mim mesma que, um dia, faria dele um lar, porque achava que pedir o divórcio, deixar o Dean e mudar de casa tinha funcionado. Não tive notícias dele por meses e, assim, pensei que ele tivesse aceitado o divórcio.

Ela colocou a mão no rosto e tocou o ferimento que desaparecia.

— É óbvio que ele não aceitou.

— O que aconteceu na noite em que a encontrei? — Chase quase não conseguia fazer as palavras passarem por entre os dentes.

Os olhos dela escureceram.

— Eu estava me preparando para pintar a sala de estar quando ouvi alguém na porta.

Ele podia sentir o choque daquela lembrança irradiar dos músculos das coxas dela.

— Dean estava lá e eu fiquei tão surpresa ao vê-lo que o deixei entrar sem pensar, sem nem imaginar que não estava segura com ele. Mas, então, percebi que ele estava bêbado. Não sei como pude esquecer o quanto ele estava bebendo mais para o final do nosso casamento, mas ele estava. Não sei, talvez eu tenha me feito esquecer aquilo que não queria lembrar.

— Isso é natural, querida.

Mas era como se ela não pudesse ouvi-lo, não pudesse fazer nada além de reviver o que acontecera com o ex-marido.

— Ele disse "você não vai fugir de mim, você é minha". Eu não acredito que ele teve a coragem de ir até a minha cidade, parar no meio do meu apartamento e me dizer aquilo. Eu não quis discutir... Disse para ele ir embora, que conversaríamos depois, quando ele não estivesse bêbado.

Chase sabia o que viria depois.

— Nada pior para um bêbado do que ouvir que está bêbado.

Ela concordou balançando a cabeça.

— Ele me mandou calar a boca e disse que tinha cometido o erro de não me punir por muita coisa quando estávamos casados e que, daquela vez, seria diferente.

Chase repetiu as palavras:

— Daquela vez?

Ela fechou os olhos.

— As palavras exatas dele foram "você irá para casa comigo agora e, desta vez, fará o que eu mandar".

Chase mal segurou uma chuva de palavrões enquanto ela prosseguia:

— Ele nunca tinha sido assim, nunca me assustou tão completamente. Porém, eu não queria recuar, não queria que ele pensasse que podia continuar me controlando. Por isso, disse que já estava em casa. Disse que não iria a lugar nenhum com ele e queria que ele saísse. Na mesma hora.

As palavras dela o afetaram ainda mais.

— Ele perdeu a cabeça e agarrou meu cabelo. E, quando eu tentei escapar, ele me deu um soco.

Ela levou a mão para o rosto, mas a mão dele já estava lá, cuidando da pele macia, desejando com todo o coração que ela nunca tivesse sido ferida, e que nunca mais fosse ferida de novo.

— Fiquei pasma por um minuto. Sinceramente, não podia acreditar no que ele tinha acabado de fazer. Fiquei esperando que ele começasse a pedir desculpas, admitisse que estava fora de controle. Mas a expressão dele não era de arrependimento. Era como se, por fim, tivesse vencido, olhando sua marca no meu rosto. Fiquei tão assustada e com medo de que ele me batesse de novo ou algo pior que não pensei, apenas peguei a lata de tinta mais próxima e joguei nele. E, depois, enquanto ele estava caído, peguei minha mochila e saí correndo.

Ela estava tremendo ao contar a história e ele odiava ter lhe pedido para desabafar, por fazê-la reviver tudo aquilo.

— Chloe, querida, você está bem agora.

Ela fechou os olhos e apertou-os.

— Sabe o que eu fiquei fazendo durante todo o tempo que dirigi sob a chuva? Fiquei imaginando por que eu tinha sido tão idiota. Deve ser por isso que caí naquela vala. Porque não conseguia prestar atenção em nada além daquela voz na minha cabeça, que dizia que eu devia ter previsto a reação dele.

— Procurar ver o lado bom das pessoas nunca é idiota.

Ela abriu os olhos.

— Mas ser cega e ingênua é. — Ela abriu um pequeno sorriso, mas os olhos continuavam tristes, antes de tocá-lo no rosto com a mão. — Sei que você deve ter adivinhado parte da história quando viu o machucado no meu rosto. Mas obrigada por não me pressionar para chamar a polícia. Farei isso. Sei que preciso fazer. Pelo menos uma vez, preciso lutar por mim mesma. Pela minha vida. E saber, dentro do meu coração, que posso vencer essa briga.

Desde o momento em que Chase havia conhecido Chloe, todo o seu ímpeto protetor tinha florescido. Mais de uma vez, ele quis assumir o controle e cuidar de tudo por ela.

E, naquele momento, mais do que nunca. Ele queria entrar no carro e procurar o imbecil e garantir que ele nunca se aproximasse dela de novo, ter certeza absoluta de que ele nunca tivesse outra chance de colocar as mãos nela.

Entretanto, maldição, sabia que, se fizesse isso, se envolvesse Chloe em cuidados e garantisse que tudo fosse fácil e tranquilo para ela dali por diante, para ela seria quase tão ruim quanto a maneira como o ex-marido tinha lhe roubado a liberdade.

Como ele ia encontrar uma maneira de amá-la sem reprimir sua necessidade de ser livre?

— Você vai vencer. — Ele tinha convicção disso, com cada fibra do seu corpo.

Ela passou as pontas dos dedos pelos lábios dele.

— Tanta fé em mim — falou com a voz suave. — Estou tão feliz por ter sido você a me encontrar na tempestade.

Mas ambos sabiam que aquilo não mudava nada. Porque ele não podia simplesmente dizer a ela: "Ei, quer saber? Acho que você está pronta para um novo relacionamento". Não quando ela havia acabado de deixar bem claro que não estava.

Como se lesse a mente dele, ela disse:

— Então, se não posso ser sua namorada, isso é tudo? — As palavras dela eram suaves, mas claras. E firmes, mesmo quando acrescentou: — Significa que acabou?

Chase nunca ficara tão dividido entre o que queria... e o que sabia que devia fazer. No entanto, ela fora completamente sincera com ele, apesar de todos os motivos que teria conseguido inventar para não confiar nele.

Ele devia a ela o mesmo.

— Eu deveria dizer que sim — ele, por fim, respondeu. — Se eu tivesse um pingo de decência, eu diria que sim, acabou.

Ele segurou a mão dela.

— Mas é óbvio que sou tão canalha quanto qualquer outro homem, porque a ideia de não tocar em você de novo, de não beijá-la de novo, de não fazer amor com você de novo... — Ele sentiu o estômago apertar, como se uma mão invisível o segurasse. — Não consigo nem imaginar.

Continuou olhando para ela, sabendo que demonstrava tanta emoção quanto ela. Não deveria continuar pressionando-a a lhe dar o que ela não estava preparada, nem de longe, para dar.

— Se a escolha é aceitar o que você está oferecendo ou terminar, eu escolho aceitar — acabou dizendo. — Escolho ficar com você. Escolho o que quer que você esteja disposta a compartilhar comigo. Embora eu nunca deixe de querer mais de você do que apenas o sexo maravilhoso. Embora eu sempre vá querer fazê-la mudar de ideia.

— Chase, eu…

Ele colocou um dedo sobre os lábios dela.

— Sei que não está pronta e que não devo forçá-la, mas, caramba, não posso mudar o que sinto. Não posso deixar de amá-la.

Chloe arregalou os olhos ao ouvir a declaração e, logo em seguida, quando cambaleou para longe do colo dele, de repente e decidida, Chase precisou de toda sua força para deixá-la ir.

CAPÍTULO DOZE

Chloe sabia que tinha sido sincera. Dolorosamente sincera.

E Chase também fora sincero.

Ela até oferecera afastar-se dele. Tentou ser honrada, assim como ele fora com ela.

Porém, Chase era realista. Como ela. E os dois sabiam que a ligação física entre ambos era inegável. Irrefreável.

— Sei que não quer ouvir que estou me apaixonando por você — ele disse, com delicadeza. — Mas é a verdade.

Ela não devia querer ouvir que ele estava se apaixonando por ela, não quando ficava apavorada ao saber como os sentimentos dele eram profundos. E, ainda assim, não podia negar o calor que se espalhou por ela ao saber que era importante para ele.

Ele estava em pé, encarando-a. Esperando.

Havia um milhão de desculpas para ela dar, dezenas de mentiras que poderia tentar contar.

Mas não conseguia.

— Eu estou cansada de mentir para mim mesma. Não posso fazer isso. Não com você.

A confissão saiu antes que ela pudesse segurar e ela se permitiu ser corajosa. Por sorte, era mais fácil ser corajosa com Chase do que com qualquer outra pessoa. Porque sabia que ele a amava.

— A verdade é que não vou conseguir me controlar perto de você também. A verdade é que, embora eu não possa dar o que você quer, embora devesse ser eu a deixá-lo livre para encontrar alguém capaz de amá-lo da maneira que você merece, não quero me afastar de você. Disto. Não posso lhe dar o que você quer. Tudo que sou capaz de oferecer agora é sexo. Apenas sexo.

O que estava errado com ela? Por que estava se deixando ir além do que conseguia controlar?

— Então é o que faremos. — Ele estendeu uma das mãos para ela. — Faremos muito, muito sexo bom. — Ele fez uma pausa, sua expressão era séria. — Mas não até que você se sinta melhor. Não até que você pare de tremer por ter de reviver aquela noite. — Levou a mão dela para os lábios. — Sinto muito por tê-la feito voltar para lá, querida. Sinto muito mesmo.

— Você precisava saber — ela disse.

E, para a própria surpresa, ela se sentia um pouco mais leve por ter compartilhado sua história com alguém que se importava com ela. Que se importava de verdade e de coração.

Ela andou até os braços dele.

— Estou me sentindo muito melhor — afirmou.

— Não há pressa — ele garantiu, embora os dois soubessem que havia, conforme os dias deles juntos se esgotavam. E ela não queria gastar nem mais um segundo pensando no que Dean fizera. Maldição! Não tinha jurado que ele não roubaria isso dela também?

— Eu acho mesmo que estou noventa e nove por cento pronta — ela disse. — Acha que pode me ajudar a conseguir esse último um por cento de volta?

Chase ficou olhando para ela por um longo momento antes de sua boca mudar para um sorriso sexy como o pecado. E, em seguida, os lábios dele escorregaram pelo dela com tanta suavidade que ela quase não conseguiu sentir o beijo.

No entanto, seu corpo reagiu no mesmo instante.

Alguns segundos depois, ele a beijou de novo. Com a mesma delicadeza. Ela tentou beijá-lo também, mas ele se afastou. Outro beijo, muito delicado e rápido, que teve o efeito de fazê-la querer mais, muito, muito mais.

Não! Se eles iam ficar apenas no sexo, ela não podia deixá-lo lhe dar aqueles beijos delicados e propositalmente provocadores. Dali para frente, tinha de garantir que a relação permanecesse física e não emocional.

Fazer sexo, não amor.

Beijos ardentes em vez de doces.

Surpreendentemente, ela sabia por onde começar e disse:

— Vamos...

Ele colocou outro beijo delicado nos lábios dela.

— Lá...

Outro beijo.

— Para fora.

Aquilo, por fim, interrompeu o ataque enlouquecedor e ela, então, imaginou que ele estivera tentando deixá-la submissa por meio dos beijos. Uma gentil redenção.

E, ah, se ele continuasse por tempo suficiente, desse a ela beijos suficientes para lhe tirar o fôlego e fazer seu coração bater de desejo... Bem, ela sabia, ele poderia acabar arrancando uma promessa que não estava pronta para fazer.

Uma promessa em troca do prazer.

Chase dissera que não iria desistir. Porém, ela continuava firme em sua decisão. Assim, se ele ia tentar deixar a noite emotiva, ela ia garantir que caminhassem para o lado físico.

Sua determinação ficou mais firme quando ele veio com outro daqueles beijos pecaminosamente doces, mirando direto o seu coração. Ela se afastou antes de ele chegar e levou-o para as portas-balcão e, depois, para a varanda do quarto. Não precisava ouvir as perguntas dele para saber que ele estava imaginando o que ela estava fazendo.

Bem, ele teria de esperar para ver.

No último segundo, percebeu que precisariam de mais uma coisa antes de sair do quarto.

— Onde estão as camisinhas?

Pelo canto dos olhos, ela pôde ver a ereção dele crescer.

— Na minha mala.

— Pegue uma. — Ela sorriu para ele, um sorriso que pareceu atrevido e diferente. Mas não cruel. Livre. — Pelo menos uma.

Ele apertou os olhos, o queixo tremeu ao comando dela.

Outro sorriso atrevido, junto a um carinho da mão dela pela barba que começava a lhe cobrir o rosto.

— Não gosta que eu lhe dê ordens?

— Pelo contrário — ele respondeu, em um tom áspero e rouco. — Gosto bastante.

Maldição, ele estava tentando manter o controle da situação. Ele não devia ser capaz de deixar tudo mais excitante com apenas algumas palavras.

O ar da noite ainda conservava um pouco do calor do dia, mas estava fresco o suficiente para que ela o sentisse percorrer sua pele superaquecida. Era uma sensação gostosa, como um jato de razão. Razão suficiente para que ela mantivesse sua decisão, mas não o bastante para que se afastasse de Chase por completo.

Quando se encontravam do lado de fora, ela virou-se para ele, pegando as camisinhas da sua mão — ele era um homem esperançoso, a julgar pela pilha que trouxera — e colocando-as na grade, ao alcance.

Ela olhou para ele por um longo momento, para a maneira como ele estava parado diante dela sob o luar, completamente confiante em sua nudez. É claro que estava. Qualquer homem, qualquer pessoa, tão bonito assim devia ser confiante.

Sua intenção de manter a relação apenas no lado físico enfraqueceu um pouquinho quando ela se ouviu perguntando:

— Você poderia ter qualquer mulher. Por que eu?

O polegar dele fazia círculos sensuais na palma da mão dela e ele respondeu:

— Eu soube no instante que a vi.

— O que...

Ela precisava interromper aquilo, voltar às brincadeiras, mas a boca a traiu com outra pergunta.

— O que você poderia saber?

— Nada — ele respondeu com perfeita sinceridade, uma sinceridade que atravessou qualquer protesto que ela poderia ter feito. — E tudo.

Ela não entendeu.

Ou melhor, não *quis* entender.

Ela precisava que a situação fosse simples. Preto no branco. Era assim que a ligação entre eles era. Era tudo que poderia ser até que ela colocasse a vida de volta nos trilhos.

— Nós nos damos bem na cama — ela disse.

E, depois, para garantir que continuariam apenas no caminho físico, completou:

— Aquela noite na casa do seu irmão, na varanda, o que você queria fazer comigo?

Os olhos dele brilharam na direção dos olhos dela, um nível totalmente novo de intensidade.

— Você sabe o que eu queria fazer com você.

— Mostre para mim, Chase.

Um segundo depois, ele a colocou contra a grade da varanda, uma das mãos no cabelo dela e outra no quadril. Já tinham ficado assim vezes o suficiente para ela reconhecer a maneira como ele gostava de segurá-la.

Ela gostava também. Muito. Havia um prazer excitante nos braços dele. Mas o conforto a encontrava lá também. Uma sensação de segurança, de que ele sempre a seguraria do jeito certo. Nem apertado demais. Nem solto demais.

Por sorte, a boca de Chase desceu até a dela nesse instante, afastando seus pensamentos.

Ela não havia pensado que ele poderia beijar melhor do que já beijara até então. Como estava enganada.

Aquele beijo foi mais quente, foi muito mais profundo, muito mais perigoso do que qualquer um que recebera antes.

Ela não conseguia respirar, nem se importava por estar perdendo rapidamente a noção da realidade enquanto seu único foco estava em sua boca, na maneira como a língua dele encontrava os pontos mais sensíveis, a forma como os dentes dele sabiam onde morder, com que força provocá-la. E, depois, ele estava fazendo o que fizera antes, espalhando beijos por suas bochechas, depois pelo pescoço e a depressão das saboneteiras.

A ansiedade pelo que ele faria a fez tremer antes mesmo de a língua dele deslizar por sua pele.

Ela prendeu a respiração, que saiu em um arfar quando ele fez contato.

— Linda, Chloe.

Seu elogio sedutor era um sussurro logo abaixo de sua orelha e ela tremeu de deleite incontrolável quando os dentes dele a encontraram lá e apertaram-se com suavidade contra a pele sensível.

— Você não me mordeu aí.

— Eu quis — ele concluiu.

Um gemido escapou dela quando percebeu que era uma tola ao pensar que poderia guiar Chase a algum lugar. A delicadeza dele não bloqueava seu poder sobre as emoções dela.

Ele lambeu a pequena mordida antes de voltar a atenção de novo para os ombros dela. Ela nunca imaginara que fosse sensível, que reagisse naquela parte do corpo.

Estava incrivelmente errada.

Chase ergueu a cabeça.

— Roupa demais.

Ela estava quase abrindo a boca para lembrá-lo de que estava nua quando percebeu: ele estava fingindo. Fingindo que voltaram no tempo, duas noites. Dando a ela a fantasia, como ela pedira.

Os dedos dele passaram para os ombros dela, onde as alças de seda do vestido estiveram. Devagar, deliberadamente, ele tirou aquelas alças fantasmas.

— Levante os braços para mim.

Não havia motivo para ela levantar os braços. Não estava vestida, não tinha vestido para tirar. Seus seios já estavam lá, expostos... e excitados... diante de Chase.

Teria sido suficiente para ela se ele a deitasse e a possuísse nas tábuas de madeira da varanda, bem ali. Mas não era muito mais doce jogar aquele jogo?

Fingir.

E perder-se na inebriante ansiedade.

Ela mexeu as mãos e os braços como se tentasse se libertar das alças de um vestido, levantou os braços e balançou o corpo, como fizera duas noite antes.

Ela ia baixar os braços quando Chase disse:

— Bem assim.

Ela esperou o pânico invadi-la, esperou a ânsia por baixar os braços. Ele prometera nunca mais prendê-los e estava mantendo a promessa. Mas não estava lhe pedindo para fazer quase o mesmo? E ela não devia sentir algo além do calor estonteante que a preenchia, da cabeça aos pés?

— Linda.

Ele passou as pontas dos dedos da mão livre sobre as aréolas delicadas e ela arqueou as costas ao toque. Um grande dedo começou a desenhar círculos lentamente sobre sua pele. Devagar, devagar demais, ele se aproximou da pele totalmente contraída que estava desesperada por seu toque.

— Chase... — ela gemeu quando ele estava *bem ali* e, em vez de lhe dar o que ela *precisava*, ele voltou a atenção para o outro seio.

— Hum?

Ele não tirou o olhar dos torturantes círculos que fazia na carne dela. Os braços tremeram por causa da maneira como estavam levantados, mas ela não os baixou.

— Por favor — ela implorou —, eu preciso…

Ela mordeu o lábio com outro gemido quando ele chegou quase no bico e, depois, voltou e passou o dedo pelo espaço entre os seios.

Ele parou a mão ali, bem no meio do peito dela, onde seu coração batia com tanta força por ele e, em seguida, inclinou-se diante dela antes que ela pudesse organizar os pensamentos e a beijou com doçura.

Por completo.

Possessivamente.

Os pelos do peito dele provocavam seus seios, deixando-a ainda mais enlouquecida do que já estava.

E, depois, antes que ela pudesse se mexer, ou piscar, ou implorar, ele baixou a cabeça e colocou um dos seios na boca. Ela precisou baixar os braços para conseguir se equilibrar segurando Chase, para poder agarrar a parte de trás da cabeça dele e segurá-lo ali — *ah, isso, bem ali* — enquanto ele lhe dava o prazer pelo qual ela ansiava.

Tudo se resumiu ao toque da língua dele nela, o calor que serpenteava na sua barriga, o hálito quente contra seu peito. Chloe perdeu a noção do tempo enquanto ele lambia seus seios, enquanto ele amava cada centímetro da parte superior do seu corpo: os picos, as curvas, as depressões, as partes inferiores e sombrias, os espaços entre as costelas. E ele começou a descer mais, ficou de joelhos, segurando a cintura dela com as mãos grandes e fortes, segurando-a para devorá-la.

Sua língua e seus lábios e seus dentes não tiveram misericórdia enquanto destruíam a alma dela, derrubando-lhe as defesas um centímetro de pele de cada vez.

E ele abriu mais as pernas dela, antes de cobri-la com a boca, e ela se segurava nele como se disso dependesse sua vida, sabendo que nunca sobreviveria àquele prazer, era grande demais, completo demais, doce demais para ser real.

Para ser dela.

Ela pensou ouvir as palavras "você tem o sabor do paraíso" e, em seguida, a língua dele foi mais longe, substituindo os dedos dele dentro dela, disparando dentro dela outro orgasmo impossível.

As pernas dela começaram a ceder, mas ele já estava lá, segurando-a.

Sem deixá-la cair.

Mais tarde, ela se permitiria ficar surpresa por ter ficado nua em um vinhedo público com o rosto de um homem entre as pernas, gritando tão alto que qualquer um da propriedade poderia ouvi-la com certeza. E saber o que estava acontecendo.

Mas, naquela noite, como ela poderia se preocupar com aquilo? Não quando tudo o que importava era o prazer.

Não. Não era o prazer que importava. Não na verdade.

Era Chase.

Era ele que importava.

O pensamento atingiu-a no meio do coração enquanto ela se mexia, em pé. As mãos dele ainda estavam no seu quadril quando ele a beijou. Ela sentiu seu próprio gosto nos lábios dele, mas, mais do que isso, sentiu o gosto dele. O gosto de fome. O gosto de desejo.

O gosto de quanto ele se importava com ela.

E a amava.

Ela queria fugir daquela verdade, dele, do passado, do seu próprio medo, mas, mesmo se ele não tivesse escolhido aquele momento para dizer "Vire para mim, linda menina", mesmo se as mãos dele não a estivessem ajudando a se virar, ela não teria a mínima chance de deixá-lo naquele momento.

Ele a possuía, corpo e mente.

E não apenas por causa dos orgasmos.

Momentos depois, ela estava de frente para o vinhedo sob o luar, e ele colocava a mão dela na grade.

— Segure — ele disse, suave, sedutoramente. — E não solte.

Ela queria pensar que ele estava falando da grade, mas sabia o que ele queria dizer.

Queria que ela confiasse nele. Queria que ela acreditasse que seu amor era suficiente para mudar a vida dela.

Lágrimas escorreram dos olhos dela mesmo quando sua excitação chegou mais alto do que antes com nada além do som de Chase abrindo a embalagem da camisinha.

— Você está ainda mais linda assim do que eu achei que fosse ficar.

Ela virou o rosto, uma brisa leve mexeu em seus cabelos quando ela olhou para Chase por cima do ombro.

— Chase.

Ele se posicionou na entrada dela, tão quente e rijo que ela mal podia acreditar.

— Eu amo você, Chloe.

Ela prendeu a respiração, esperando o momento em que ele entraria nela, abrindo não apenas seu corpo, mas também seu coração.

Porém, ele permaneceu parado, com os olhos nela.

— Para sempre.

Ela ofegou com a palavra e ofegou de novo quando ele começou a entrar nela.

— Sempre.

A cabeça dela pendeu para a frente, abaixada, enquanto ela segurava a grade e ele aceitava o que ela estava lhe dando, enquanto ela empurrava o corpo contra ele com a mesma força. As mãos dele passaram do quadril para a cintura de Chloe enquanto ele a possuía e, logo, as palmas dele estavam cheias da carne excitada dela.

Nunca. Ela nunca fizera nada tão decadente. Tão depravado. Tão delicioso.

Tão bonito.

Ela planejara fazer sexo do lado de fora da casa para garantir que a relação continuasse apenas física. Inteira na superfície.

Devia ter sido impossível eles aumentarem sua ligação enquanto faziam sexo em pé, em uma varanda. Devia ter sido inconcebível ela se sentir ainda mais próxima dele enquanto ele a fazia inclinar-se sobre a grade segurando seus seios enquanto entrava com mais força, mais fundo.

Se havia um ato que podia ser chamado de apenas sexo, era aquele, um homem e uma mulher que tinham sido perfeitos estranhos alguns dias antes, transando como animais.

E, ainda assim...

De alguma forma, era lindo. Tão lindo que os olhos dela estavam molhados.

E seu coração estava mais preenchido do que nunca.

Em sincronia perfeita, ele apertou o bico de um dos seios no mesmo momento em que deslizou os dedos da outra mão entre as pernas dela.

E ela se despedaçou.

Chase pegou Chloe nos braços e a levou de volta para o quarto. Os olhos dela estavam fechados e, quando ela piscou para tentar abri-los, ele beijou uma das pálpebras.

— Shhh. — Beijou a outra. — Hora de ir para a cama.

Ela se aconchegou ainda mais nele, como uma gatinha sexual exausta.

Uma vez após a outra ela o impressionava.

Deixava-o mais humilde.

Seu jeito brincalhão, sua disposição de arriscar apesar do seu passado... Ele não tinha certeza se ela percebera ter mostrado tudo isso a ele lá na varanda.

Ele sabia que ela quisera provar que podia ser uma mestra no jogo do "apenas sexo". Em vez disso, confiara nele, confiara em si mesma, para fazer algo diferente. Ousado.

O sexo na banheira tinha sido enlouquecedor.

O sexo na varanda, vê-la agarrar a grade com tanta força que as articulações dos dedos ficaram brancas, vê-la abandonar o controle e jogar-se contra o quadril dele para ele entrar mais... Não havia palavra para o que aquilo fizera com ele.

Bem, talvez houvesse.

— Amor — ele sussurrou encostado na bochecha dela e a sentiu se mexer levemente, embora estivesse quase dormindo.

Ele ficaria totalmente feliz se o único lugar em que fizessem sexo fosse a cama. Bem, não *totalmente* feliz, mas a verdade era que o sexo regular com Chloe era um milhão de vezes melhor que o sexo louco com qualquer outra pessoa.

Mas Chloe era uma mulher que apreciava (ou precisava, desejava) aventura. Ele não estava certo se ela já percebera, mas ele sim. E queria viver essas aventuras com ela. Ao lado dela. Dentro dela.

Ele a deitou na cama com a cabeça sobre o travesseiro e, como ela não o soltou — mesmo quase dormindo, ela não conseguia lutar contra o que eles tinham juntos —, ele deslizou para baixo dos lençóis macios com ela: de frente para as costas dela, o quadril dela acomodado na sua ereção eterna. Ela puxou os braços dele ao redor de si como um cobertor e aconchegou-se ainda mais nele com um suspiro contente.

Linda.

Dele.

CAPÍTULO TREZE

Mais um dia.

Mais uma noite.

Chloe tinha apenas mais 24 horas para ficar com Chase naquele conto de fadas. Ela queria que cada uma daquelas horas, daqueles minutos preciosos, durasse para sempre. Sabia que ficaria contando até o sinal tocar e ela ir embora.

Ela precisava ir embora. Porque, como dissera a Chase na noite anterior, precisava cuidar de tudo sozinha.

Não dissera?

Durante todo o dia, enquanto trabalhava com todos, quando foi verificar como Alice estava e a encontrou bem melhor no quarto do hotel, Chloe ficou com esse pensamento na mente.

No início, tinha sido fácil dizer a si mesma que precisava manter distância de Chase porque *todos os homens eram maus*.

O que se mostrara ser ridículo. Porque, embora o ex-marido fosse certamente louco, Chase não tinha um traço de maldade. Nunca, em toda a vida, ela havia pensado que encontraria um homem como ele à beira da estrada, no meio de uma tempestade de granizo, naquela que ela pensava ser a pior noite de sua existência.

Não deveria acreditar que ele podia ter se apaixonado por ela. Não em apenas três dias.

Não deveria ficar relembrando o momento em que ele dissera "Eu amo você. Para sempre. Sempre".

Perdida nos pensamentos confusos, suas mãos ficaram paradas sobre a renda do corpete que estava amarrando para Amanda.

— Precisa que eu encolha mais a barriga?

Chloe franziu as sobrancelhas. *Encolher mais?* Como Amanda poderia ficar mais magra?

— Não, você está perfeita assim.

Amanda olhou para o próprio corpo.

— Estou engordando.

"*Não!*" Em sua mente, ela sabia que precisava parar, acalmar-se. Mas tinha passado muitos anos ouvindo Dean dizer isso a ela. Não podia suportar ouvir Amanda repetir o mesmo sobre si mesma.

— Você é linda, Amanda.

Entretanto, embora Chloe visse que a garota tinha gostado do elogio, também percebeu que Amanda não acreditava de verdade.

Conforme a modelo se afastava, Chloe desejou intensamente que ela acreditasse na própria beleza. No próprio valor. Ela queria salvá-la de anos de ódio contra si mesma. De maus relacionamentos. De homens que não mereciam nem um minuto o tempo dela... ainda menos anos.

Sentiu o olhar de seu amante nela e a atração foi tão forte que não pôde deixar de olhar para trás e, de repente, perguntar-se de novo se era isso que representava para ele. Era apenas uma mulher que ele estava desesperado para salvar porque era, no fundo, um homem protetor?

Não. Ela sabia que não devia pensar assim. Em especial quando ele nada tinha feito para sufocá-la, para enfraquecê-la.

Em vez disso, ele não havia lhe dado as ferramentas para ficar mais poderosa? Ele não havia pedido para ela usar seus talentos, suas habilidade, para criar beleza? Para ficar mais forte?

E, naquele momento, como se um raio cortasse o céu azul perfeito, a verdade da situação atingiu-a: não era Chase que precisava salvá-la, para protegê-la a fim de que ela nunca mais tivesse de enfrentar o perigo.

Ela precisava fazer isso sozinha.

Estava escondida no vinhedo, não pegara o maldito telefone e ligara para a polícia, não se forçara a encarar o fato de que teria de encontrar uma maneira de se proteger de Dean quando estivesse lá fora, de novo por sua própria conta e risco.

Tinha se escondido durante o casamento. Escondera-se da verdade, do quanto aquele relacionamento era ruim, porque parecera muito mais doloroso lidar com a realidade.

Parada no meio do vinhedo com os olhos de Chase ainda nela, Chloe percebeu que ele não merecia ser arrastado em seus problemas. E, até que pudesse ser digna dele, sabendo cuidar de si sozinha, não poderiam ficar juntos.

Nesse momento, a música "Single Ladies", de Beyoncé, começou a tocar alto no aparelho de MP3 portátil e Amanda arrastou-a para o grupo, que tinha começado a dançar em seus belos vestidos de seda.

Chloe sempre adorara dançar, adorava sentir as pernas, os braços, os músculos ficarem mais soltos e quentes. O sol ainda estava no céu, despejando luz sobre eles e, quando o elástico que prendia seu cabelo caiu, ela não se importou e balançou os cabelos em volta do rosto.

Enquanto dançava, enquanto Sara a segurava pelo quadril e balançava o corpo com ela, Chloe quase podia fingir que os últimos dez anos não tinham acontecido. Sim, ela estivera se escondendo da realidade, mas poder passar um tempo com Chase e as modelos e a equipe nos últimos dias havia ajudado muito a arrancar as camadas sob as quais estivera enterrada.

Sim, aquela sensação de liberdade, de alegria, era apenas temporária, os problemas a esperavam do lado de fora da fantasia daquele mundo coberto de videiras, mas ainda tinha algumas horas de diversão pela frente, não tinha?

— Ela é bonita mesmo.

Chase virou-se e viu Ellen parada a seu lado. Estivera totalmente extasiado observando Chloe dançar com as modelos.

Mas era mais do que beleza que tornava impossível deixar de olhar Chloe.

Dia a dia, minuto a minuto, ela estava se transformando. Ela já era uma borboleta, mesmo parada na beira da estrada, encharcada e com aquele machucado horrível maculando sua pele macia. Mas ainda não saíra do casulo.

Agora, as cores de suas asas estavam ficando mais brilhantes, mais magníficas, conforme os fardos, os medos que estivera carregando, caíam pedaço a pedaço.

— Por dentro e por fora — ele concordou.

Ellen continuou ao lado dele, os dois observando Chloe dançar. Era a primeira vez que Chase se encontrava com ela durante a sessão de fotos. Era quase como se a moça evitasse ficar no caminho dele.

Chase sentiu-se mal por ter abandonado Ellen naquela primeira noite e disse:

— Sinto muito mesmo por...

Ela colocou a mão no braço dele e o toque dela pareceu estranho. Errado. A música acabou e, quando Chloe os viu juntos, sua expressão fechou. Ellen logo baixou a mão e acenou.

— Oi, Chloe!

Chase viu a boca de Chloe se abrir em um sorriso que não era inteiramente natural enquanto caminhava na direção deles.

— Hum — Ellen murmurou —, ela parece muito possessiva com você.

Chase não teve tempo de dizer que o sentimento era mútuo antes de Chloe chegar.

— Oi, Ellen.

Ellen sorriu para ela.

— Uau, seu cabelo é maravilhoso.

Chloe piscou, surpresa com o elogio.

— Obrigada.

A brisa do fim de tarde passou, soprando uma mecha no rosto de Chloe. Chase estendeu a mão e deslizou os dedos pelos fios sedosos enquanto os colocava para trás da orelha dela.

Ele a sentiu prender a respiração mais do que ouviu, quando os seus olhos se encontraram. Havia esperado o dia todo para tocar nela novamente, pela chance de mergulhar seus sentidos na maciez dela, no seu aroma doce, nas suas reações sensuais inatas. A mão dela cobriu a dele, segurando sua palma contra o rosto em uma reação instintiva a seu toque.

Até que Ellen quebrou o feitiço, ao perguntar:

— Vocês gostaram de ficar aqui nesta semana?

Chloe largou a mão dele como se estivesse contaminada e um leve rubor pintou seu rosto já vermelho. Estava claro que tinha acabado de perceber que ela e Chase estavam se tocando na frente de Ellen.

— Tem sido como viver dentro de um conto de fadas — ela respondeu, com delicadeza. Fez um gesto na direção das montanhas ondulantes, cobertas por fileiras regulares de verde. — Deve ser maravilhoso vir trabalhar aqui todo dia.

Ellen concordou balançando a cabeça.

— É ótimo. Exceto quando recebemos uma noiva maluca, exigindo saber por que as uvas não estão mais maduras para o seu grande dia. Porém, na verdade, é o único caso em que o trabalho é ruim.

Chase ficou feliz ao ouvir Chloe rir e ao observar que o desconforto inicial por ver Ellen ao lado dele diminuía.

Gostava de ver o brilho possessivo nos olhos dela. Adorava, na verdade. Duvidava que ela tivesse percebido que aquele brilho estava lá... e que se aproximava cada vez mais dele, declarando inconscientemente seu direito sobre ele diante de uma possível rival.

Chloe podia ter dito várias vezes que não havia condições de ficar com ele, mas esse era seu lado racional. O coração dela parecia saber mais. Parecia entender melhor.

Ele também sabia mais.

— Marcus queria estar aqui para se despedir de todos, mas foi chamado
 de repente para a cidade — Ellen contou. — Ele pediu desculpas.

Chase tinha um mau pressentimento quanto às viagens frequentes do irmão para a cidade. Sempre tentara manter a mente aberta quando se tratava da namorada de Marcus, Jill, mas nunca gostara muito dela. Nenhum dos Sullivan gostava. Sim, ela era muito bonita, mas sua beleza se ofuscava sob a camada de gelo que ela vestia. O nariz empinado também não ajudava muito.

Chloe ficou triste.

— Ah, não. Eu queria muito vê-lo de novo antes de ir embora, para agradecer adequadamente por ter me dado um lugar para ficar nesta semana.

Ela mordeu o lábio, num gesto tão sensual que Chase não conseguiu desviar o olhar, sem a menor esperança de evitar que o restante do corpo reagisse de acordo.

Ele nunca desejara uma mulher assim. Não apenas com o corpo. Não apenas com o cérebro. Não apenas com o coração. Mas com toda a alma.

Ellen parecia bastante confusa.

— Você o verá de novo, não, Chloe?

Nesse momento, Sara gritou:

— Chloe, não consigo sair desta coisa estúpida! Estou começando a enlouquecer. Pode me ajudar?

Com uma expressão de alívio, Chloe respondeu:

— Preciso ajudar as meninas a tirarem as roupas. Foi muito bom vê-la de novo, Ellen.

Estendeu a mão e as duas se cumprimentaram. Chloe virou-se e fugiu de mais perguntas.

— Espere um pouco — Ellen disse, ainda confusa. — Por que ela não verá Marcus de novo? Vocês não estão juntos?

Chase passou a mão pelo cabelo, entregue à frustração que já o vinha devorando durante toda a sessão de fotos.

— É complicado.

Ellen olhou para Chloe, que ajudava uma das modelos a se despir de um vestido de festa estilo *bandage*.

— Não parece tão complicado do meu ponto de vista. Por Deus, eu quase fiquei chamuscada quando vocês dois se tocaram.

Ele sabia que Ellen estava certa. Não deveria haver nada de complicado em um homem se apaixonar por uma mulher. Engraçado, em todos aqueles anos em que as mulheres se apaixonaram por ele, nunca pensara que fosse acabar assim, entregando o coração para uma mulher que tinha medo de entregar o dela.

E restava apenas uma última noite para tentar fazê-la mudar de opinião, do *não posso* para o *para sempre*.

Sentiu a mão de Ellen em seu braço de novo.

— Há algumas noites, fiquei muito decepcionada por nada ter acontecido entre nós dois, mas, para ser sincera... — Ela lançou outro olhar para

Chloe. — Espero de verdade que dê certo para vocês. Ela é um doce. Vocês formam um belo casal. — Abriu um grande sorriso para ele. — Que tal eu reservar um fim de semana para vocês no ano que vem, só por garantia?

Chase logo teve uma visão de tirar o fôlego de Chloe em um longo vestido branco esperando por ele, cercada de videiras.

— Boa sorte, Chase.

Ellen afastou-se e ele voltou a observar Chloe, que libertava, com cuidado, outra das modelos de um dos vestidos usados naquela tarde. Ele nunca desejou tanto poder contar com a sorte como naquele momento. Jamais apostara no ilusório e imprevisível. Sempre acreditara no talento e trabalho duro para chegar aonde queria. Contudo, daquela vez, Chase temia que sorte era a única coisa que poderia ajudá-lo.

CAPÍTULO CATORZE

Chloe acenou para se despedir de todos na *van* que se dirigia para os portões do Vinhedo Sullivan, dizendo:

— Estou muito triste pela sessão de fotos ter acabado.

— Eu também — Chase respondeu enquanto voltavam para dentro da casa de hóspedes.

Era sempre difícil fechar as portas de um bom projeto. Em particular aquele, que acabara sendo tão incrivelmente especial. Porém, ao mesmo tempo, ele estava feliz por ficar sozinho com Chloe.

Ele deslizou as mãos pelas mãos dela, levou-as para perto da boca e deixou os lábios se demorarem sobre os dedos.

— Você aceitaria ter um encontro comigo, Chloe?

A surpresa tremulou nos olhos dela.

— Já conversamos sobre isso.

— Não estou falando no futuro. Apenas esta noite. É tudo o que peço.

Ele podia ver a incerteza dela, a maneira como ela estava lutando contra o que queria... e o que achava que devia fazer.

Por fim, ela disse:

— Nós dois sabemos que eu estou garantida por esta noite. — Deu um sorrisinho malicioso. — E você não precisa pagar o jantar antes.

Chase não estava pronto para a faísca de raiva que se acendeu dentro dele com o fato de ela achar que sexo era suficiente para ele. O impulso de desafiá-la foi incontrolável:

— Quer transar?

O olhar dela estava atormentado quando ela levantou o queixo e voltou-se para ele.

— Sim.

Imediatamente ele tomou-lhe a boca em um beijo, mas, mesmo naquele momento, ele foi cuidadoso, apesar de estar puxando para baixo o short e a calcinha dela.

— Chase — ela gemeu contra a boca dele, apertando-se contra ele e também ajudando-o a livrá-la das roupas.

Ele avaliou o desejo dela, sua necessidade, e percebeu que era tão grande quanto o que ele mesmo sentia:

— Prometo sempre dar o que você quiser. Diga-me o que você quer.

As pupilas dela estavam dilatadas, deixando os olhos quase negros, e ele podia entender tudo que ela estava tentando bloquear, tudo aquilo de que ela tentava, com desespero, esconder-se.

— Por favor, apenas me possua.

Ele abriu-lhe a blusa e sua boca encontrou o bico do seio por trás do sutiã de renda cor-de-rosa. Ao mesmo tempo, os dedos dela estavam no zíper dele, puxando, empurrando e, logo, ele estava nas mãos dela e ela fechava os dedos longos e finos ao redor dele, fazendo um movimento ritmado que o deixou incrivelmente rijo.

Ele acabara de prometer o que ela quisesse, jurara mais uma vez dar tudo a ela. E, embora parecesse que uma bomba tinha atingido o coração dele pela maneira como ela continuava tentando manter uma distância entre os dois, ele segurou-lhe as nádegas com as mãos e pediu:

— Cruze as pernas em volta de mim.

Ele entrou nela antes que qualquer um dos dois pudesse piscar e a carne dela apertou-se, segurou, fechou-se em torno dele. Ele sabia que Chloe queria que ele a penetrasse sem se importar com nada. Ele sabia que ela queria fingir que, entre eles, havia apenas atração física.

Mas, maldição, ele não conseguia.

Nem mesmo por ela ter pedido, poderia transar com ela como um animal, contra a porta da frente.

— Chloe.

Os olhos dela, que antes estavam bem fechados, abriram-se devagar, embaçados pela luxúria. E toda aquela emoção que ela não queria sentir. Toda aquela emoção que ela estava tentando afastar porque não viera no lugar nem momento certo. Porque ela não estava pronta. Porque pensava que precisava ser forte e afastar-se dele na manhã seguinte.

— Não consigo, querida. Não consigo fingir que é apenas sexo.

Chase precisou olhar o rosto dela, queria que ela tivesse de reconhecer a verdade do que existia entre ambos.

— Eu amo você.

Ela soluçou o nome dele antes de beijá-lo como se fosse morrer sem seus beijos.

O corpo dele então deixou-se levar pelo puro instinto, conforme entrava nela e ela se erguia por cima dele e, depois, descia para que ficassem totalmente ligados. Perfeitamente.

Ele sentiu os músculos internos dela chegarem ao clímax um milésimo de segundo antes de ela ofegar contra a sua boca. E, depois, ela jogou a cabeça para trás e colou sua pélvis na dele, perdida no prazer, na maneira como os corpos deles soltavam faíscas e eram tomados de eletricidade juntos.

De alguma forma, ele aguentou o orgasmo dela, cada puxão ou empurrão contra ele. Não queria ter de soltá-la, não queria ter de deixá-la ir.

No entanto, quando ela apertou a boca contra o ombro dele e disse a palavra “amor” com tanta doçura que ele quase não ouviu por causa da batida do seu próprio coração, Chase se perdeu por inteiro.

— Chase?

Ele a conduzira até o sofá e havia colocado uma coberta sobre ambos. Ela tinha acabado de recuperar o fôlego.

— Sei que estou sempre pedindo isso, mas podemos começar a noite de novo? — Mesmo sem olhar ela pôde sentir o sorriso dele.

— Claro que podemos.

Chloe mexeu-se para ficar parcialmente sentada no sofá, mas sem sair dos braços dele.

— Eles acabaram de ir embora e agora é minha hora de dizer “vou sentir falta de todo mundo”.

Os olhos dele fixaram-se nos dela.

— Esse é o meu papel, certo?

Ela sabia que ele a estava provocando e ficou impressionada com a capacidade dele de perdoar, em vez de brigar por ela ter tentado reduzir o que existia entre os dois a apenas sexo.

— Sim, esse é o seu papel.

— Também vou sentir falta deles, mas estou feliz por estarmos aqui sozinhos agora.

Ela queria dizer que sentia muito por tê-lo magoado. Por continuar a magoá-lo. Pelo fato de não dizer que o amava também.

Porém, tudo o que pôde falar foi:

— Eu gostaria de ter um encontro com você, Chase.

Como ele não respondeu de imediato, ela respirou trêmula.

— Por favor, diga que sim.

Os olhos dele ainda estavam escuros, ainda intensos quando respondeu:

— Sim.

O peito dela, a barriga, tudo doía. Doía por aquele belo homem. Ela se forçou a sorrir.

— É melhor eu colocar outra blusa.

Ele olhou para baixo e pareceu reparar no tecido rasgado pela primeira vez.

— Fui muito rude com você. Não foi minha intenção.

Ela o calou com um beijo.

— Não, você nunca seria rude comigo.

Ela desceu do colo dele e puxou um vestido da arara de roupas antes de sair da sala.

— Vou levar só alguns minutos para tomar banho e me trocar.

Chase sentou-se com a cabeça apoiada nas mãos. O que tinha acabado de fazer? Praticamente a atacara contra a porta. Chloe não merecia ser tratada daquela forma. Ela era preciosa. Ele devia ter sido gentil, independentemente das circunstâncias.

E ele devia parar de jogar as palavras "eu amo você" sobre ela uma vez após a outra. Isso só piorava a situação. Só a fazia se sentir mais encurralada. Sentir que as coisas estavam mais fora de seu controle.

Como sabia que apenas acabaria possuindo Chloe contra os azulejos do banheiro se tomasse banho com ela, entrou em um dos banheiros que nenhum dos dois tinha usado até então para uma ducha rápida. Ele já estava rijo e trêmulo de pensar em Chloe nua, com água escorrendo pelo corpo a poucos aposentos dali.

Resfriou a água e forçou-se a ficar sob o jato gelado.

Queria muito ter um encontro com ela. Um encontro de verdade. Não apenas um prelúdio para mais sexo.

CAPÍTULO QUINZE

— Uau, que maravilhoso. Acho que nunca vou me acostumar a esta vista.

Eles estavam sentados em uma mesa de canto no Auberge de Soleil, no alto dos morros de Napa Valley, e Chase sabia exatamente o que ela queria dizer. No entanto, não era a vista que ele nunca se acostumaria a admirar.

Ele não conseguia parar de olhar para a acompanhante.

O garçom aproximou-se e entregou a cada um deles uma taça de champanhe.

— Seu irmão, Marcus, gostaria que soubessem que ele espera que vocês aproveitem a noite conosco.

— Eu devia saber que ele tinha olhos em toda esta montanha — Chase comentou com um sorriso torto, enquanto levantava a taça na direção de Chloe. — O canalha provavelmente nem me deixará pagar o jantar para a minha garota. Sempre tentando reafirmar seu *status* de irmão mais velho. — Sorriu para Chloe. — Teremos de garantir que vamos pedir os pratos mais caros do menu.

Chloe balançou a cabeça, ainda surpresa com o gesto de Marcus.

— Deve ser incrível fazer parte de uma grande família. Saber que ela sempre estará ao seu lado.

Ele queria dizer a ela que todo o clã dos Sullivan iria acolhê-la, e protegê-la, como se fosse da família. Ele queria usar isso como outro motivo para ela nunca mais ter medo.

Em vez disso, sem querer quebrar a magia, falou, o mais alegre que conseguiu:

— Às vezes, é ótimo. Às vezes, é um tormento. Agora, podemos esquecer Marcus e meus outros irmãos por um momento?

Ela o fitou, e seus olhares se encontraram, brilhando, quando ela concordou balançando a cabeça:

— Esquecidos.

— Ótimo, porque quero você para mim esta noite.

— Esta noite — ela concordou —, eu sou sua.

Um calor encheu o peito dele — e toda sua alma — apenas ao ouvi-la dizer aquelas palavras.

Eu sou sua.

Chase levantou a taça.

— A noites chuvosas.

Ela encostou sua taça na dele, murmurando, com a voz rouca:

— A noites chuvosas.

Ele continuou segurando a taça junto à de Chloe.

— E a uma mulher muito linda que uma tempestade trouxe para a minha vida.

Os olhos dela estavam sem expressão quando ela levou a taça aos belos lábios e tomou um gole.

— Sabe… — ela disse um pouco depois, após saborear uma das melhores refeições que já provara. — Este deve ser o encontro mais romântico que eu já tive.

— Eu achei que já fazia tempo que nós dois merecíamos um pouco de romance.

Chloe inclinou a cabeça enquanto olhava para Chase. Deixou-se olhar de verdade.

No início, ela havia ficado maravilhada com a beleza dele para conseguir enxergar muito mais. E, depois, ficara com medo de olhá-lo por muito tempo por conta do que poderia ver nos olhos dele quando ele olhasse para ela... e o que ele poderia ver espelhado de volta.

Como ele não percebia que estivera sendo romântico com ela durante todo o tempo, desde que caminhara até ela naquela estrada molhada e lhe dissera para entrar no carro?

Ela sorriu com a lembrança daquela primeira noite. Como ela o desejara, apesar de não querer... e gostara muito dele, muito mais do que a cautela permitia.

Chloe permitiu-se fingir, por apenas alguns instantes, que aquela era mesmo sua vida. Que estava com Chase havia anos. Que tinham jantares românticos em restaurantes famosos de Napa Valley o tempo todo.

E que ela era feliz, não apenas por uma noite. Mas sempre.

Porque era amada.

Amada de verdade por quem ela era.

— Este é outro motivo pelo qual suas fotos são tão bonitas — ela se ouviu dizendo. — Você não está apenas criando a fantasia para os outros. Você também quer acreditar naquela fantasia, não quer? Deve ter tido que afastar as mulheres que o assediavam com golpes de varas, não?

Ele riu.

— Varas, não. Apenas *uma* vara.

Ela também caiu na risada.

— Eu levantei a bola para você chutar, não foi?

O garçom chegou para encher novamente as taças no momento em que ela perguntou:

— Os seus irmãos são como você? Grandes e fortes no exterior, mas românticos e gentis no interior?

Quando o garçom se afastou, Chase fingiu um ar contrito, cobrindo o peito com a mão.

— Uma vez, achei um livro no quarto da minha irmã que usava as palavras "aço coberto de veludo" para descrever o membro do cara. Tenho certeza de que isso que você disse reduziu-me a um *marshmallow* coberto de veludo. Nosso garçom nunca mais vai me olhar da mesma maneira. Deve estar ligando para o clube agora, para que me expulsem.

Chloe riu de novo, alto o suficiente para que algumas cabeças se virassem para admirar o belo casal no canto.

— Ser uma boa pessoa não muda em nada o fato de você ser muito homem.

— Essa afirmação teria muito mais impacto se você não estivesse rindo um pouco ao falar — ele informou, meio brincando, meio sério.

Ainda rindo, ela disse:

— Desculpe. Entretanto, não tenho certeza se um dia conseguirei tirar as palavras "aço coberto de veludo", ou essa imagem, da cabeça.

— Pretendo garantir que elas desapareçam hoje, mais tarde — ele prometeu com o calor brilhando em seus olhos e rindo.

— Então, voltando à sua família... Algum dos seus irmãos grandes e fortes é um romântico secreto? — Ela não podia evitar, adorava ouvir histórias dos irmãos e irmãs dele, imaginar o quanto era bom saber que eles sempre estariam a seu lado. Para rir. Para brincar. Até para discutir. — Pode contar, vai ser um segredo nosso.

Chase balançou a cabeça.

— Tenho quase certeza de que transar com tudo que tem pernas não qualifica ninguém como romântico. Exceto pelo Marcus. Ele não age mais assim, embora fizesse o tipo antes de conhecer a namorada.

— Transar com tudo que tem pernas.

Chloe esforçou-se para reprimir o repentino enjoo e tentou manter a voz alegre.

— Desde que todo mundo saiba a verdade, acho que tudo bem.

Porém, Chase entendeu no mesmo instante.

— Não vou mentir para você. Eu costumava ser um desses caras.

Ela engoliu em seco. Odiava a ideia de Chase até mesmo olhar para outra mulher. Beijar outra mulher. Tocar em outra mulher. Fazer amor com outra mulher.

O estômago dela ficou apertado e ela apoiou o garfo abruptamente.

— Certo. Obrigada por ser honesto.

Ele estendeu o braço sobre a mesa e pegou a mão dela entre as suas.

— Não quero mais fazer isso. Não quero mais ser esse cara.

Ela estava desesperada para acreditar nele. Entretanto sabia por experiência própria que não era fácil.

— Mas não é o que você está fazendo comigo?

— Não.

— Sim — ela contrariou. — Nós nos conhecemos, eu fui para a casa do seu irmão, nós transamos.

— Você é diferente, Chloe. Você é especial.

Brava consigo mesma por querer tanto que o conto de fadas se tornasse realidade, ela disse:

— Como você pode saber isso? Nos quatro dias desde que nos conhecemos, nós transamos em quase todos os momentos em que ficamos sozinhos. Encaixa bem nos critérios, não? Provavelmente, você vai passar para a próxima caçada e encontrar outra mulher que não se canse de você.

Ela pôde ver o lampejo de frustração no rosto dele. O mesmo que o fez possuí-la contra a porta da frente, algumas horas antes.

Por que continuava pressionando-o daquela maneira? Por que não podia apenas aceitar que ele falava a verdade sobre o que achava dela?

No entanto, ela sabia o porquê, sabia que, no fundo, tinha medo de ser a mesma menina de 22 anos que se apaixonara pelas cantadas do ex-marido, pelas palavras bonitas, pelo carinho que queria desesperadamente acreditar que existia ali… e acabara se casando com um homem que não a conhecia (ou amava) nem um pouco.

Chloe não sabia o que esperava que Chase dissesse, se pensava que ele a arrastaria para a parte de trás do restaurante para ensinar-lhe outra lição sobre o quanto era bom ficarem juntos, mas definitivamente não esperava que ele colocasse a mão no bolso, tirasse de lá um envelope e o colocasse na mesa.

Olhou para o envelope, depois para ele, indagadora.

— Não me apaixonei por você porque é tão linda que dói. Não me apaixonei por você porque faz amor como em um sonho. Tudo isso é apenas um bônus.

Ela engoliu em seco. Aquelas três frases tinham acabado de ficar entre as dez melhores que já ouvira de um homem.

As suas mãos tremiam quando ela pegou o envelope.

Ela podia perceber que havia fotos dentro dele. E estava com medo de vê-las.

Não porque tinha medo de não estar bonita… mas porque aprendera nos dias anteriores que Chase via tudo.

Em especial o que as pessoas tentavam com mais empenho esconder.

Por fim, deslizou um dedo por baixo da aba e puxou um pequeno maço de fotos.

Ela estava rindo na primeira foto. Sua boca estava bem aberta e a cabeça jogada para trás, enquanto olhava algo no telefone de Amanda.

— Ela estava me mostrando uma daquelas listas engraçadas de autocorreção. Uma mulher tinha enviado ao marido a mensagem "estou grávida" e ele respondeu "vou sair de casa", mas queria dizer "vou sair de cá", porque queria ir para casa comemorar com ela.

Hesitante, Chloe virou para a foto seguinte. Ela estava rindo de novo, dessa vez no meio da piscina, depois de cair dentro dela quando tentava arrumar o chapéu de Amanda no ângulo exato.

Um sorriso se abriu em seus lábios antes de ela perceber que estava vindo.

— Eu me diverti tanto com todo mundo — comentou com delicadeza, antes de passar para a foto seguinte.

Chase a tinha registrado em uma conversa com Marcus na noite da festa na casa dele. Ela estava solta por causa do vinho e tinha baixado a guarda com Marcus depois de um dia surpreendentemente divertido com a equipe. Era óbvio o quanto estivera desesperada para deixar a felicidade criar raízes no seu peito de novo.

Desconcertada pelo que Chase lhe mostrava sobre si mesma, ela seguiu para outra foto, uma em que guardava os vestidos. Meia dúzia de tecidos bonitos espalhava-se em seu colo.

Ela nunca tinha se visto assim, nunca se tinha visto sonhando antes.

As emoções ameaçavam inundá-la e, por isso, ela passou logo para a próxima foto da pilha.

Ah!

Seria bom ter parado na foto dela com os tecidos, sonhando acordada, com uma ânsia desesperada por felicidade.

A última foto era da primeira tarde, no vinhedo, no fim do dia, quando surpreendera Chase com a lente apontada para ela. Lembrou-se do terror de saber que não havia escondido seus sentimentos por ele. Sentimentos que ela ainda nem conseguira entender, por serem ainda tão recentes, tão novos.

Tão puros.

— Pergunte-me de novo como eu sei que você é especial, Chloe.

As fotos caíram das mãos dela para a mesa.

Ela não precisava perguntar.

Chase tinha mudado a cadeira de lugar e, assim, estava perto o suficiente para segurar a mão dela por debaixo da toalha da mesa.

— Obrigada — ela disse, em um tom suave, a garganta fechada pela emoção. — Está sendo uma noite maravilhosa.

Ela lambeu os lábios e apertou a mão dele.

— Uma noite perfeita.

Meu Deus, ela ia chorar, podia sentir as lágrimas chegando, ameaçando derramar. Bastaria uma palavra doce, um olhar emocionado, e ela não aguentaria.

Estava se esforçando tanto para segurar as lágrimas que não reparou que Chase estava em pé até que sentiu um puxão suave na mão. Ela piscou para ele, confusa, levantou-se e deixou-o levá-la pelo salão, com as mãos na curva das costas dela, ao mesmo tempo reconfortantes e excitantes. Ele a puxou para os seus braços e eles começaram a dançar ao som da música que o trio de jazz no canto do restaurante tinha começado a tocar.

"The Look of Love."

Chloe olhou para ele, surpresa.

— Essa música.

Ela lançou um olhar para a banda e, depois, de volta para ele, balançando a cabeça.

— É quase como se eles soubessem...

Sua voz desapareceu antes de ela poder terminar a frase. Mas ela tinha de fazer aquilo. Tinha de admitir para si mesma. Para Chase.

Com uma voz tão suave que não sabia se Chase conseguiria escutar, Chloe murmurou:

— É como se eles soubessem a maneira como você olha para mim. A maneira como você sempre olhou para mim.

E, ela agora sabia, depois de ter visto a foto que ele tirara dela no vinhedo na primeira noite, era a maneira como ela sempre olhara para ele também.

Com amor.

E, com o corpo grande e forte de Chase acomodando o seu, com o coração dele batendo contra o seu, Chloe pressionou o rosto no ombro dele... e, por fim, deixou as lágrimas correrem.

Chase nunca se sentira assim antes, como se o coração estivesse se despedaçando a cada batida enquanto Chloe chorava baixinho e eles dançavam.

Ele queria dar tudo a ela. Queria destruir seus dragões. Queria abraçá-la com força e nunca soltar. Tinha dito que a amava, mas sabia que ela ainda acreditava que precisava deixá-lo para provar que era uma pessoa forte.

Ela tinha dito que a noite estava perfeita, mas agora chorava.

Em toda a sua vida, ele sempre soubera o que fazer. As mulheres nunca foram um grande desafio, mas agora percebia que fora assim porque nunca havia se importado de verdade antes.

Até ter se apaixonado por Chloe.

Chase desejava que houvesse uma resposta simples, desejava que pudesse se convencer de que a solução era tão fácil quanto impedir que o ex-marido de Chloe pudesse machucá-la e, depois de eliminada a ameaça ao bem-estar dela, tudo ficaria bem.

Mas quantas vezes ele e os irmãos já não tinham se vingado de uma maldade contra as irmãs apenas para acabarem recebendo a fama de malvados, e ainda as ouvindo gritar, “não sou um bebê, quando vai me deixar cuidar de mim mesma”?

Como Chase ia deixar Chloe ir e fazer o que achava necessário?

E quanto ela o odiaria se ele não conseguisse deixá-la ir?

CAPÍTULO DEZESSEIS

Quando a música terminou, Chloe já havia conseguido recuperar o controle das emoções, graças a Deus. Feliz por não ter usado muita maquiagem, ela logo enxugou os olhos enquanto Chase a levava para o lado de fora, até um belo terraço com cheiro de alfazema e alecrim e uma pista de bocha.

— Bocha era o esporte que eu mais gostava de ver quando criança — ela disse, para tentar trazer alguma normalidade de volta depois de tê-lo encharcado de lágrimas. — Eu fugia para o parque que tinha algumas pistas e assistia às famílias jogando juntas.

— Você também jogava?

Ela balançou a cabeça.

— Não oficialmente. Porém, quando não havia ninguém por perto, eu jogava com bolas de tênis que tinha encontrado.

Ela largou a mão de Chase, foi até a pista de areia vazia e pegou uma das bolas pesadas.

— Era com essas bolas chiques que eu via as pessoas jogarem. — Deu uma risada suave. — Se alguém me visse, ia pensar que estava zombando do jogo com minhas bolas de tênis.

Ela ficou surpresa quando Chase tirou o *blazer* e dobrou as mangas.

— Mostre-me como é.

Chloe quase lhe disse que ela não tivera a intenção de terminar a noite ultrarromântica deles rolando bolas na areia para marcar pontos. No entanto, aquela não era uma das qualidades que mais amava em Chase, de que não havia regras imutáveis na vida dele? Nada de *tem que fazer*.

E, o melhor de tudo, nada de *não devia fazer*.

Ela tirou os sapatos de salto para não deixar marcas fundas na areia e pegou a pequena bola branca.

— Este é o bolim. Nós o jogamos e, depois, vemos quem consegue chegar mais perto dele com as próprias bolas. — Chloe pegou uma bola azul e entregou para ele sorrindo. — Já que você é muito homem, por que não fica com as azuis?

Ele colocou a mão sobre a bola e, de alguma forma, conseguiu puxar Chloe mais para perto, em vez de pegar o objeto dela. Sua boca cobriu a dela de uma maneira que logo pareceu familiar, mas, ainda assim, surpreendente, Chloe não conseguiu deixar de envolver o pescoço dele com a sua mão livre e ficar nas pontas dos pés para beijá-lo.

Quando o som da passagem de um carro a lembrou de que estavam em um local público no meio do *resort*, ela se forçou a se afastar daquela boca deliciosa como o pecado.

O polegar dele percorreu o lábio inferior dela.

— Já gostei deste jogo.

Ela corou com o calor das palavras dele, embora não houvesse nenhum motivo para corar na frente de Chase. Não depois de todas as maneiras como tinham feito amor, da quantidade de vezes em que ele colocara a boca e as mãos nela.

Entretanto, algo lhe dizia que sempre iria corar com ele, que aquele frio na barriga sempre estaria lá quando ele lhe lançasse um daqueles olhares quentes e intensos.

Ela queria, com tanto desespero, olhar para o futuro, imaginar como ele poderia ser, permitir-se sonhar com menininhos e menininhas com os olhos de Chase, com sua pele bronzeada.

Não podia fazer isso naquela noite. Podia apenas estar com ele bem ali, bem naquele momento.

— Conte como marcamos pontos no jogo — Chase pediu, tirando-a dos pensamentos sombrios.

Ela explicou que o time com as bolas mais próximas ao bolim marcava os pontos de cada rodada.

— Tenho uma ideia — ele comentou depois que ela explicou as regras e Chloe não deixou de perceber o tom malicioso na voz dele.

— Mal posso esperar para ouvir.

E a verdade era que estar com Chase era tão emocionante, tão divertido, que até mesmo um jogo simples fazia Chloe se divertir mais do que em toda a vida.

Como seria a vida com ele? Cada dia seria melhor que o anterior?

Perdida em pensamentos, ficou surpresa ao sentir as pontas dos dedos dele roçarem com suavidade a pele do seu queixo. Olhou para ele e seus joelhos quase cederam com o desejo, e o amor, brilhando nos olhos dele.

— Quer adivinhar minha nova mudança nas regras? — ele perguntou com a voz rouca.

— Sempre que um perder, tem de dar um beijo no outro?

Ele aproximou a boca até ficar a um suspiro de distância dela.

— Tão inocente — ele sussurrou nos lábios dela.

Ela precisou de todo seu fôlego para provocá-lo também:

— Mas você quer mudar tudo isso, não?

— Você não quer? — ele perguntou. Suas palavras eram um desafio carinhoso às fantasias dela.

Ah, ela quase chegou ao orgasmo bem ali, no meio de uma pista de bocha em Napa.

— Sim.

A palavra libertou-se dos lábios dela antes que ela percebesse e a boca dele capturou a sua de novo, por pouco tempo.

— Se eu ganhar este jogo, também ganho a senhorita pela noite. Se você ganhar, você me ganha pela noite.

Eles iam jogar naquela noite para uma vitória sem sentido... um jogaria pelo outro. A sugestão maliciosa fez o corpo dela reagir no mesmo instante com um fluxo de calor bem abaixo do umbigo e nos bicos dos seios.

— Se eu ganhar — ele disse com a voz baixa, que ressoou pelas veias de Chloe mais rápido, mais quente do que uma dose de tequila —, você será minha esta noite para qualquer coisa, para tudo que eu desejar.

Ela sentiu seus lábios se abrirem, sentiu um fluxo de ar por eles como um suspiro ao contrário.

— Qualquer coisa?

— Qualquer coisa.

Não. Ela não deveria querer o que *qualquer coisa* compreendia.

— Tudo?

Ele passou os dedos por uma mecha de cabelo dela.

— Tudo, Chloe.

Ela já tinha feito mais coisas loucas com Chase naquela semana do que em toda a vida. Sexo na banheira. Sexo ao ar livre. Contra a parede.

Ela tentava dizer a si mesma que não podia haver mais, mas não adiantou.

Sabia que havia. Simplesmente porque já estivera fantasiando a respeito. Fantasiava em fazer aquelas coisas proibidas de que já sentira vontade, coisas que lhe disseram que era errado querer.

— E, se você ganhar, linda Chloe, sou seu para o que quiser.

Ah! Ela sinceramente não sabia se queria ganhar... ou perder.

Chase nunca tinha jogado bocha antes, mas ele e os irmãos tinham, com frequência, brincado com jogos parecidos, em que lançavam pedras em um alvo. No início da partida, Chase teve quase certeza de que ganharia. Não demorou muito para perceber que devia pensar melhor.

Quando chegaram ao ponto final, 14 a 13 para Chloe, ele lhe disse:

— Você é muito boa nisso.

Ela olhou para ele e sorriu.

— Eu sei.

Ele adorou a forma brincalhona como ela o beijou, sem nenhuma daquelas sombras no olhar.

— Está tentando me distrair? — ele perguntou.

— Eu distrairia se precisasse.

Ele a tomou nos braços antes que ela pudesse terminar a frase.

— Você acabou de me dar uma boa ideia.

Ele baixou os olhos para a sua boca suculenta, tão linda, tão macia.

— Prepare-se para ser distraída.

— Faça o seu melhor — ela o desafiou.

— Agora você topou — ele disse e, depois, beijou-a e o jogo foi esquecido por um instante.

Ele quase morreu por ter de seguir com seu plano e, abruptamente, largou Chloe.

— Sua vez.

Os olhos dela estavam embaçados e sem foco.

— Minha vez de quê?

Ele sorriu para ela, um sorriso torto que lhe dizia que ela estava bem onde ele queria.

Os olhos dela clarearam.

— Certo. O jogo. — Ela fingiu um olhar bravo. — Prepare-se para ser destruído, Sr. Sexy.

Porém, enquanto ela se curvava para pegar uma bola vermelha, ele soube que já havia sido destruído por Chloe havia muito tempo.

Ela era linda. E era dele, caramba. Assim como ele era dela.

Não era como se um tivesse poder sobre o outro. Não era uma questão de controle, de querer estar no comando.

Ela tinha de levantar a bainha do vestido toda vez que ficava em posição para um lançamento. As pernas dela eram fortes e maravilhosas, os pés descalços e belos na areia. Não havia um centímetro do corpo dela que ele não desejasse, dos dedos dos pés às sobrancelhas.

Assim como não havia nenhuma parte do coração dela que ele não amasse.

— Pare de olhar para mim desse jeito.

— De que jeito? — ele perguntou no tom mais inocente.

— Como se você fosse o lobo mau e eu, a Chapeuzinho Vermelho.

— Hum — ele disse —, essa é uma ideia de outro jogo para esta noite. — Ele fez uma pausa. — Quando eu ganhar.

Ele mal a ouviu murmurar "nem sonhando" antes de deixar a bola vermelha rolar dos seus dedos.

A bola dela bateu na dele com precisão perfeita, tirando a azul do jogo.

Ela se endireitou e lançou para ele um olhar tão contente (tão bonito, tão puro, tão doce no âmago) que ele teve de se controlar para não cair de joelhos e pedi-la em casamento bem ali.

— Mais um lance perfeito e eu ganho — ela disse com muita satisfação. — E, então, você será meu.

Ele podia correr por uma pista, remar por um lago sem perder o fôlego. Mas, com Chloe, ele perdia, o tempo todo.

Ele viu a maneira como a mão dela tremeu enquanto ela pegava a última bola vermelha. Ela olhou para ele e não desviou o olhar por um longo momento, antes de virar-se para o jogo e deixar a bola sair em um caminho gracioso, parando bem ao lado do bolim.

E ela ganhou.

No entanto, em vez de virar-se para ele com uma comemoração de vitória, ela simplesmente ficou parada, fitando as bolas. Por fim, olhou para ele.

— Acho que devemos ir agora.

Ele queria lhe dizer que era apenas um jogo. Queria abraçá-la e dizer que não havia nada com que se preocupar.

No entanto, algo o impediu... A mesma coisa que o impedira de ir para a cidade nos quatro dias anteriores e acabar com o ex-marido dela.

Chase conhecia a força de Chloe, podia sentir o quanto estava enraizada nela desde aquele primeiro momento na beira da estrada.

Entretanto, não bastava ele saber.

Chloe precisava conhecer a própria força também. E saber que amá-lo não iria diminuí-la.

Ele caminhou até onde ela estava e estendeu a mão. E esperou que ela decidisse o que fazer naquela noite. Se reivindicaria não apenas seu prêmio... mas ele por inteiro, corpo e alma.

Por fim, ela segurou a mão dele e, quando seus dedos se encaixaram, disse:

— Teria sido tão mais fácil se você ganhasse.

— Eu sei — ele concordou —, mas eu não tive a menor chance de segurar meu coração com você. — Não desviou o olhar. — Nem por um segundo.

CAPÍTULO DEZESSETE

Qualquer coisa.

Tudo.

A boca de Chloe foi ficando cada vez mais seca durante a volta para o vinhedo de Marcus. Seu coração batia cada vez mais forte.

Ela tentou dizer a si mesma todos os motivos pelos quais não devia enlouquecer.

1. Não era uma virgem assustada.

2. Ela e Chase já tinham feito sexo muitas vezes.

3. Ele a amava.

4. E ela tinha quase certeza de que estava se apaixonando por ele também. Era exatamente esse o problema.

Ela o amava.

Chloe não estava certa se seria mais fácil ficar no controle do sexo naquele dia se não o amasse, mas dois corpos se aproximando, uma união de bocas e mãos e braços e pernas que estivessem longe de qualquer emoção parecia, de repente, muito mais fácil.

Apenas sexo. Fora o que tinha proposto. Ou, pelo menos, o que dissera a si mesma que queria de Chase.

Mas o coração sabia mais.

Seu coração sempre soubera o que ela ansiava.

E seu coração nunca negaria que amor, amor puro e honesto, era o que ela sempre desejara. Tudo o que sempre precisara.

Uma parte dela estava surpresa por Chase não ter tentado acalmá-la durante a volta. Ela podia sentir a preocupação dele, assim como podia sentir o desejo. Sabia que ele não gostava de vê-la sentada a seu lado completamente arrasada. No entanto, em vez de correr para salvá-la, em vez de tentar deixar tudo melhor para ela, estava lhe dando espaço para resolver sozinha.

Ela apenas o amava ainda mais por isso, pela fé que tinha nela para saber o certo a fazer, mesmo quando estava convencida de que não tinha a menor ideia.

Quando passaram pelos portões do Vinhedo Sullivan, Chase segurou a mão dela e ela pôde sentir a confiança dele, seu amor, passar por sua pele, tremendo ao atravessar sua carne até os ossos e, depois, chegar à sua alma.

Um sorriso finalmente surgiu no rosto dela, o primeiro desde que havia ganho o jogo e percebido o que fizera a si mesma.

— Vamos entrar.

Eles soltaram as mãos apenas tempo suficiente para sair do carro. Parecia tão certo caminhar ao lado de Chase, sentir a força dele, o equilíbrio dele ao lado dela. Em vez de esperar que ele abrisse a porta, ela colocou a mão na fechadura, que não estava trancada, e abriu-a, entrando primeiro na sala de estar.

— Na primeira noite, quando você me trouxe para cá, eu estava assustada — ela admitiu.

Era estranho aquela ser a parte fácil da confissão dela. Difícil, muito mais difícil foi dizer:

— De alguma forma, mesmo naquele momento, mesmo quando eu achava que nunca seria capaz de voltar a sentir alguma coisa, eu o desejei.

Ela colocou as mãos dos dois lados do rosto dele.

— Eu queria tocar em você.

Passou as pontas dos dedos pelo maxilar dele e, depois, pelas bochechas até os cabelos.

— Queria saber se você faria minha pele queimar do jeito que está queimando agora.

Ficou nas pontas dos pés e disse, diante da boca dele:

— E eu queria tanto provar você aqui.

Os lábios dela mal tocaram nos dele, apenas o suficiente para saber que ele tinha sabor de chocolate, da sobremesa deles, e de vinho, que beberam durante o jantar. Porém, na maior parte, ele tinha gosto de Chase… o belo homem que lhe devolvera vida à alma.

Ela deslizou as mãos pelos cabelos escuros e macios dele e, depois, pela nuca até os ombros.

— Eu queria despi-lo e ver se você era tão perfeito quanto parecia.

Podia sentir as batidas do coração dele na sua palma quando seus dedos foram para os botões da parte de cima da camisa.

— Eu tinha uma suspeita de que você era — ela sussurrou enquanto descobria o peito dele, um glorioso centímetro por vez.

Precisou pressionar os lábios contra a pele nua e um gemido baixo soou do peito dele, mas nem assim Chase tentou assumir o controle.

Ela não conseguia evitar que suas mãos tremessem enquanto abria o restante dos botões, tirando a bainha da camisa de dentro das calças antes de escorregá-la pelos ombros dele e deixá-la cair no chão.

— Eu nunca tive a chance de apenas olhar para você.

Mesmo enquanto ela dizia essas palavras, os músculos do peito e do abdômen dele ficavam mais rijos.

— Você parece um pouco tenso — ela murmurou, gostando do fato de estar no controle muito mais do que poderia ter imaginado.

Ela se aproximou de novo, pressionou a palma das mãos no peito dele e passando-as pelos músculos. Os recortes do abdômen dele ondulavam conforme ela o acariciava.

— Isso ajuda? — ela perguntou em um tom atrevido.

— Sim — ele claramente mentiu.

Faminta.

Quase desesperada.

Ela inclinou o corpo, pressionando os lábios na curva do pescoço e do ombro dele.

— Então, tenho de fazer mais.

Ela lambeu a pele dele, molhando-a antes de mordiscá-la. Por um momento, soube como um vampiro devia se sentir, como devia ter sido difícil, para Edward, não enterrar os dentes na carne doce de Bella naqueles filmes a que assistira sozinha naquele ano.

Ele gemeu de novo, a pele e os músculos vibrando contra as mãos dela.

De alguma maneira, ela tirou a boca de perto dele para continuar o que tinha começado.

O que era dela naquela noite.

Dela.

Chloe planejara sugar ao máximo cada segundo de prazer, de alegria, daquelas horas preciosas, de cada doce minuto com Chase.

Ela colocou as mãos sobre a fivela do cinto e começou a mexer no couro. A pele dele estava quente em toda parte que ela tocava e a voz dele soou pela sala silenciosa.

— Linda.

O elogio de Chase ressoou por cada célula de seu corpo, parando bem atrás dos ossos do peito.

— A maneira como você me olha enquanto me deixa nu.

Ele fez uma pausa, esperando que ela erguesse os olhos para ele.

— Você tira minhas calças, Chloe.

Ela engoliu em seco ao ver o olhar dele, pelo fato de sentir que ele a estava acariciando sem precisar tocar nela.

A boca máscula era uma distração ao plano dela de despi-lo por completo, mas que distração maravilhosa. Com as mãos ainda no cinto, ela voltou a ficar nas pontas dos pés e o beijou com ternura.

Os dois sabiam que aquele beijo era uma promessa do que estava por vir, uma promessa de que ele saberia exatamente o que significava para ela quando o Sol nascesse no vinhedo lá fora.

A respiração dela saía em pequenos suspiros quando se afastou e voltou a atenção para as calças dele. O zíper foi aberto um instante antes de ela abrir o cinto e, em seguida, ela estava empurrando as roupas, observando com prazer as calças caírem no chão. Chase pisou para fora delas, aproximando-se de Chloe, perto o suficiente para ela sentir o calor da ereção rija contra sua barriga.

Ele era lindo, um pecado, parado ali usando apenas a cueca. Mas ela não ficaria satisfeita até deixá-lo nu, assim como ele a despira de todas as camadas de proteção que ela tentara enrolar em si mesma. Cada vez que fizeram amor, Chase não tinha apenas tirado as roupas dela, ele havia começado, devagar, a eliminar seus medos. Suas hesitações. A crença antiga de que ela nunca teria o amor de um homem tão bom quanto aquele.

Ela queria rasgar o tecido de algodão do quadril dele... porém, ao mesmo tempo, queria ir devagar para saborear cada momento da descoberta de Chase.

No final, as mãos dela ganharam do cérebro, movendo-se para prender um polegar de cada lado da cueca. Ela teve de levantar o tecido para passar pela ereção dele e, depois de expô-la, parou, hipnotizada.

— Você me faz querer fazer coisas que não desejo há muito tempo.

Ele não precisou dizer "faça, então" para que ela escutasse. Ela também não precisou da ânsia silenciosa dele para ajudá-la a ficar de joelhos. E, com certeza, ela não precisou do incentivo dele para inclinar-se para a frente e apertar a língua contra sua carne rija.

— *Chloe.*

As mãos dele, que ele cuidadosamente mantivera caídas até então, foram para os cabelos dela.

Ela se sentia faminta, louca e tão feliz por estar onde estava, com Chase contra seus lábios. Se alguém tivesse lhe dito, uma semana antes, que ela adoraria ficar assim com um homem de novo... qualquer homem do planeta... ela saberia que a pessoa estava maluca.

Mas era maravilhoso saborear Chase, sentir as mãos dele apertarem seus cabelos, saber que o estava enlouquecendo de prazer com sua língua, com o arranhão mais leve de seus dentes sobre a cabeça intumescida. Conforme ela abria a boca o suficiente para sugá-lo entre os lábios, os músculos das coxas dele se retesaram, endureceram quase como pedra por baixo das mãos dela, que o segurava.

O prazer dele era dela também, conforme o colocava cada vez mais fundo na boca, até a garganta. Podia sentir o quanto ele era cuidadoso por deixá-la controlar a situação e, embora o amasse por isso, queria senti-lo perder o controle, queria saber que era a mulher responsável por destruir o controle dele.

O puro instinto feminino guiava todos os seus movimentos e ela tirou uma das mãos da coxa dele para envolver a carne enrijecida abaixo da ereção e, depois, a outra segurou a base do membro duro. A sua língua fazia círculos na pele sensível dele.

— Você tem de parar — ela o ouviu dizer, como se a voz viesse de uma longa distância. — Não consigo segurar muito mais.

Ela não queria que ele segurasse. Apesar de seu corpo estar implorando pelo toque dele, apesar do quanto seria bom arrastá-lo para o chão para poder subir nele e deixá-lo entrar no seu corpo, ela desejava mais continuar aquilo.

Assim, em vez de parar, ela simplesmente entregou tudo o que era, tudo o que tinha, para dar prazer ao homem que havia lhe mostrado que não precisava haver limite para a diversão.

Ela podia senti-lo crescer, ficar mais grosso sob sua mão, podia saborear a excitação dele em sua língua. No entanto, precisava de mais, precisava dele por inteiro e, enquanto o deixava entrar ainda mais fundo de novo, gemeu por cima da carne rija, sem pensar no que aquela vibração podia fazer com ele.

Um segundo depois, o gemido intenso de prazer dele foi seguido por sua jura de amor, uma jura que reverberou por toda a sala conforme seu membro começava a pulsar e crescer sob os lábios dela. Ela teve de abrir mais para comportar os movimentos dele, para acomodar o tamanho aumentado que preenchia sua boca conforme ele pressionava com mais força contra a garganta dela e dava a ela tudo o que ela queria, todo o seu controle.

E, enquanto Chloe estava ajoelhada diante dele, com as mãos nele, excitada por receber cada movimento poderoso do seu membro na boca, ela entregou os últimos vestígios do seu controle também.

Chase não previra isso, não imaginara que a vitória de Chloe naquela noite significava que ela ia enlouquecê-lo com a boca e a língua e os dentes e as mãos.

Ele não achava que suas pernas o sustentariam depois do orgasmo mais explosivo de sua vida.

Quando conseguiu finalmente abrir os olhos de novo, fitou Chloe, ainda ajoelhada, encarando-o com um sorriso doce que contradizia o que ela acabara de fazer com ele. Ela parecia tão enevoada de excitação quanto ele ainda se sentia.

— Você é tão delicioso.

A voz dela estava rouca. Feliz.

Ela estava agindo como se ele tivesse lhe dado tudo que ela sempre quisera ao chegar ao orgasmo na sua boca.

Todas as vezes em que ficavam juntos, ela o impressionava de alguma forma. Eles poderiam passar os 70 anos seguintes juntos e ele nunca deixaria de ser surpreendido pela linda mulher à sua frente.

Conforme Chloe se levantava devagar, conforme ela se esfregava contra ele de um jeito doce, mas sensual, ela disse:

— Estou tão feliz por ter ganho de você.

Logo em seguida, ela lambeu o peito dele.

Depois de um orgasmo forte o suficiente para explodir sua cabeça, ele deveria ter se sentado, pelo menos por alguns minutos, mas bastou um toque da língua dela contra o seu peito para que o sangue começasse a correr por suas partes íntimas de novo.

Chase segurou o quadril dela, adorando a sensação da carne macia em suas mãos enquanto a levantava sobre uma de suas coxas e deslizava para o meio das pernas dela. Seu suspiro de prazer quando ele se apertou contra o monte de Vênus dela foi um sopro quente no peito dele.

Ela ainda estava no comando da noite e ele sabia que tinha de deixá-la controlar a situação, mas precisava tocar nela, precisava devolver cada fração do prazer que ela lhe dera.

Ela passou a boca para o outro lado do peito dele enquanto se esfregava contra sua coxa. Ele podia sentir o quanto ela estava quente, podia sentir a prova úmida da sua excitação conforme ela se mexia na sua perna.

Chase achara que estava preparado para aquela noite, que estava pronto para se entregar a Chloe, que podia lidar com qualquer coisa que ela inventasse.

Como fora tolo.

Quase duas décadas de todo o sexo que ele quisesse com modelos e atrizes não tinham sido nem o primeiro capítulo do livro de regras para fazer amor com uma mulher que ele realmente amasse.

Momento a momento, ele estava aprendendo que o amor deixava tudo diferente.

Maior.

Melhor.

Muito mais doce.

— Chase?

Ele baixou o olhar para o rosto determinado da mulher que o estava prendendo com laços tão incríveis de prazer. Era também um olhar esperançoso.

— Já sei o que quero agora.

Graças a Deus ele já chegara ao orgasmo, ou teria entrado em erupção só pela ansiedade quente na voz dela.

— Qualquer coisa — ele jurou. — Tudo — prometeu.

— Eu quero...

Ela parou de falar como se tivesse perdido de repente o fôlego e seus olhos escureceram de incerteza.

— Diga, Chloe. Diga-me o que você quer. Deixe-me lhe dar isso. Dê isso a si mesma.

Ela arregalou os olhos com aquelas últimas palavras e ele sabia que tinha acertado.

— Quero me entregar a você.

Ela inspirou, tremendo.

— Quero que você...

Ele podia ver que ela estava com medo de novo, sua menina corajosa e linda, que acabara de tomá-lo em sua boca sem nem uma pausa.

— Quero que você me amarre.

Ele esqueceu como respirar. Na verdade, por um milésimo de segundo, não lembrou como puxar o ar para os pulmões.

Aquela noite era muito mais do que sexo. Ele sabia. Soubera desde o início.

Ele não sabia quanto mais, no entanto. Não pensara que ela iria querer derrubar todas as últimas barreiras que erguera ao redor do corpo (e do coração) naquela noite.

Quis dizer que ela não precisava fazer aquilo, que ela já era a pessoa mais corajosa que ele conhecia, mas, antes que pudesse fazê-lo, ela levantou o queixo como se pudesse ouvir as palavras que ele ainda não dissera.

— A noite é minha. Você é meu. Para qualquer coisa. Para tudo. — Sua determinação voltara. — É isso que quero.

Ela deslizou as mãos entre as dele.

— É disso que *preciso*.

— Eu amo você.

Ele baixou a boca para beijá-la uma vez. Duas. Três.

— Vamos ver se a cabeceira da cama é forte?

Os olhos dela ganharam um brilho negro com a excitação... e o medo que ela estava determinada a superar.

Não importava o que acontecesse, Chase sabia que iria mostrar a ela como podia ser bom entregar o controle para quem se ama... e que a ama também.

— Sim.

Ela apertou as mãos dele.

— Por favor.

CAPÍTULO DEZOITO

Chloe parou na entrada do quarto que eles dividiam e Chase virou-se para ela, os olhos absorvendo sua expressão, o quanto ela apertava as mãos dele.

— Chloe?

Ela sabia que precisava ser forte, queria ser forte não apenas por ele, mas por si mesma também.

— Confio em você — falou. Mas seu coração sussurrava *"eu amo você"*.

Ela sentiu as mãos grandes e quentes dele em volta do seu rosto, acariciando-a nas bochechas.

— Minha linda menina.

A boca de Chase desceu para encontrar a dela, tomando os lábios dela aos goles, como se fosse o vinho mais fino.

— Tão doce.

Ele lambeu seu lábio inferior e ela tremeu de prazer quando ele disse:

— Tão corajosa.

Ela não se sentia corajosa. Sentia-se como uma atriz que tentava entrar em um papel que não tinha esperança de fazer bem.

No entanto, não estava no cenário de um filme. Não era um programa de televisão a que pudesse assistir a uma distância segura. Era a sua vida. Uma vida que ela precisava reivindicar, cada pedaço.

— Mostre-me como pode ser bom, Chase. Mostre-me como *deve* ser bom.

Ele a levantou com tanta rapidez que o ar saiu dos pulmões dela quando seus pés deixaram o chão. Ela adorava ficar nos braços dele, adorava saber que sempre estava segura com Chase.

Ele a carregou para dentro do grande quarto, até a cama. Não a baixou logo, não quando obviamente tinha a intenção de afastar todos os medos dela com beijos.

Quando ele se afastou para baixá-la na cama, ela choramingou com a falta do calor dele, da pressão forte dos músculos dele contra os seus enquanto ele a fitava, os olhos movendo-se devagar do seu rosto para os

mamilos, quase dolorosamente eretos sob a seda fina do vestido. A saia estava levantada até as coxas e foi lá que ele por fim tocou, passando a palma por uma das pernas dela, do tornozelo até a pele sensível da virilha.

Ela gemeu de prazer, erguendo as pernas e os braços para se aproximar dele, para oferecer mais de seu corpo, para oferecer cada parte dela.

— Você tem ideia do que vai acontecer comigo quando eu a vir nua e amarrada para mim? Saber que confia em mim o suficiente para amá-la dessa forma?

Uma onda de excitação passou pelas coxas dela. Ela não conseguia responder, não poderia ter encontrado outras palavras além de:

— Por favor...

Ela havia jurado nunca mais implorar a um homem por nada, mas, com Chase, não era implorar, era apenas a necessidade do seu corpo (e da sua alma) insistindo em ter algo que lhe fora negado por tempo demais.

E, em seguida, as mãos de Chase estavam na barra do vestido e ele a estava levantando cada vez mais, pelas coxas e, depois, a cintura e os seios. Ela não precisou que ele lhe dissesse para erguer os braços, ela já o estava ajudando a tirar o belo vestido. Estava louca para ficar nua, louca para sentir a pele dele contra a sua.

Os olhos dele estavam em toda parte ao mesmo tempo: seu rosto, seus seios, sua calcinha fio dental de seda completamente molhada.

— Eu nunca quis tirar a foto de alguém mais do que quero agora.

Ela sabia que nunca deveria deixar um homem tirar uma foto sua sem roupas.

— Confio em você, Chase.

Ela devia ter ficado surpresa com as palavras, mas a verdade era que sua confiança em Chase era tão profunda, sua fé na bondade dele era tão pura e verdadeira, que não hesitava. Ele podia tirar sua foto nua.

Os olhos dele voaram para encontrar os dela.

— Não. Nunca.

As mãos dele passaram aos seus quadris, para segurá-la com óbvia possessão.

— Se alguém encontrasse as fotos, se outra pessoa a visse dessa forma além de mim, eu teria de matar essa pessoa.

O amor que ela sentia por ele estava na ponta da sua língua, mas, antes de poder falar, Chase puxava a calcinha, passando pelas coxas e jogando-a no chão, em cima do belo vestido que encontrara para ela.

— Eu não devia ter de esperar até amarrá-la para fazer o que estou louco para fazer com você.

Normalmente, ela teria esperado por ele. Porém, aquela era a sua noite. E ela estava no controle.

— Eu ganhei de você — ela lembrou e, quando ele olhou para ela, suas pupilas estavam dilatadas, os olhos quase negros de desejo.

— Sim, é verdade — ele concordou suavemente, sua voz baixa e quente sussurrando sobre a pele dela, colocando fogo em cada centímetro.

— Você tem de fazer qualquer coisa que eu quiser.

Ela lambeu os lábios, mordendo o lábio inferior antes de acrescentar:

— Tudo o que eu quiser.

Conforme ela falava, ele colocava as mãos nas pernas dela, separando gentilmente as coxas.

— Veja como você é linda — ele comentou, cada palavra era de admiração, crua de paixão.

Ela olhou para o próprio corpo nu, para a carne que ardia por ele. Era uma sensação maravilhosa saber que aquele belo homem era todo dela. E não apenas porque ela tinha ganho um jogo.

Ele tinha lhe dado seu amor.

E ela queria aceitá-lo, desesperadamente.

— Prove-me, Chase.

Suas palavras eram pouco mais que um sussurro e, no início, ela não estava certa se ele tinha escutado, mas, em seguida, ele começou a deslizar a mão da parte interna do joelho dela para a coxa, cada vez mais perto de seu sexo, e ela teve de segurar a respiração até aquele momento glorioso em que por fim a tocou.

Aí, bem aí.

Ela queria continuar observando-o tocar nela, estava tão incrivelmente excitada por ver a grande mão deslizar devagar sobre ela, mas era gostoso demais para que qualquer um de seus músculos trabalhasse. Suas pernas abriram-se por completo na cama e seus olhos se fecharam conforme ela baixava a cabeça até o travesseiro e gemia de prazer, preenchendo o quarto.

De novo e de novo, os dedos dele a levaram até o limite, mas nunca até o final.

Ela arqueou o quadril na direção do toque dele, mas, enquanto ele continuava a provocá-la, enquanto o calor em sua barriga se aglomerava e se intensificava, ela estava prestes a começar a implorar para que ele lhe desse o que precisava.

E, então, lembrou-se do que estava sempre esquecendo: aquela noite era dela.

De alguma forma, encontrou a força para se levantar com a ajuda dos travesseiros, abrir os olhos e dizer:

— Disse para você me provar, não para brincar comigo.

Ela viu o brilho malicioso nos olhos dele, percebeu que ele estava esperando que ela o guiasse para os próximos passos. Estremeceu ao pensar em todas as coisas deliciosas e decadentes que queria que ele fizesse com ela.

Estava abrindo a boca para fazê-lo continuar quando ele lentamente tirou os dedos do meio das pernas dela e levou-os à boca.

Ela não podia acreditar que o estava vendo lamber a excitação dela dos dedos.

— Era isso que você queria que eu fizesse? Era assim que queria que eu a provasse?

Ela teria respondido mais depressa se as mãos dele não tivessem voltado para o meio de suas pernas para acariciá-la até um pico mais alto de febre.

Ela queria continuar a brincadeira erótica, mas não podia, não até ter, pelo menos, um pequeno alívio, para poder pensar direito novamente.

— Veja o que você faz comigo, Chase.

Ele respondeu com um gemido baixo e quase desesperado quando ela empurrou o corpo contra a mão dele, uma súplica silenciosa por mais. E, quando ele disse "você é tão linda, Chloe", o simples som da sua voz, a aprovação em seus olhos, a adoração no seu rosto, a colocaram bem ali, pairando sobre a fronteira da detonação.

Um instante depois, ela perdeu o controle de tudo. Tudo menos o êxtase total. Ela mal conseguia respirar, com certeza não podia formar palavras, mas não precisou lembrá-lo do comando original, porque, antes mesmo de ela se recuperar do orgasmo enlouquecedor, a boca dele estava quente e úmida entre as coxas dela.

Ela arqueou o corpo na direção dele, suas mãos foram para os cabelos dele quando ela gritou de novo. Não podia estar tão perto de novo, não podia estar bem à beira de se desfazer por completo.

Porém, embora devesse estar mais esperta a essa altura, não havia contado com Chase. Não havia contado com a maneira como a língua dele escorregava e deslizava sobre sua pele excitada, com perfeição, com doçura.

Com pecado.

Ela tinha de olhar, tinha de abrir os olhos e olhar para baixo para observá-lo enquanto a amava daquele jeito.

Claramente ligado a cada movimento, cada pensamento dela conforme passava a língua por ela, ele a olhou. Ela leu luxúria, necessidade e desejo nele.

E tanto amor que bastou mais uma passada da língua dele para ela se despedaçar inteira de novo. Sua pele estava escorregadia com o suor, seu coração nunca batera tão rápido como quando ele a levou para aquele lugar incrível que nunca percebera estar esperando por ela. Não até a primeira vez em que Chase tocara nela.

Quando ela por fim recuperou o fôlego, disse:

— Eu deveria me sentar agora. — Ela mexeu o corpo para que ele pudesse deixar beijos macios na sua barriga e na parte de baixo dos seios enquanto os acariciava com as mãos. — Eu não devia precisar de mais.

— Mas... — ele a incentivou, com a língua passeando por seu umbigo antes de os dentes mordiscarem com delicadeza a pele ao redor.

— Mas preciso — ela confessou. — Preciso de muito mais, Chase.

Chloe sabia o que aconteceria em seguida. Ele se levantaria por cima dela, ela enrolaria os braços e as pernas nele e ele a tomaria do jeito que ela precisava, com desespero, ser tomada.

Em vez disso, ela observou enquanto ele saiu da cama e abriu uma cômoda. Tirou de lá quatro dos mais belos pedaços de tecido que ela já vira.

— Estava guardando isto para você — ele contou enquanto voltava para perto dela. — Esperava que pudesse usar nas suas colchas.

Ela estendeu a mão para tocar os tecidos.

— Chase.

Seus olhos se encheram de lágrimas. Reunir aqueles tecidos fora a coisa mais gentil que já tinham feito para ela.

— Não sei o que dizer.

Mas sabia.

— Obrig...

Ele sorriu para ela e beijou seus lábios antes de ela terminar a frase.

— Você pode me agradecer depois, quando eu a fizer gritar com ainda mais prazer — ele provocou. — Passou a ponta de um dos tecidos pelos seios dela. — Quem poderia imaginar que este tecido seria tão útil hoje?

Ela sentiu a respiração ficar mais rápida. Eles tinham ido ao quarto para ele amarrá-la, mas ela o desejava muito para se lembrar desse objetivo.

— Você vai me amarrar com eles?

Ele lhe abriu um de seus sorrisos lindamente pecaminosos e balançou a cabeça.

— E você vai ter de ser uma boa menina e não puxar com força quando tiver um orgasmo para mim, para não estragá-los.

Chase viu o óbvio olhar de preocupação dela e se inclinou para beijá-la de novo.

— Estou apenas provocando, querida. Puxe com a força que quiser. Goze o quanto precisar. Vou encontrar mais tecidos bonitos para você.

Ela estava tão concentrada no que ele dizia com a voz baixa e sexy que mal percebeu quando ele ergueu um de seus braços e começou a amarrar o tecido em volta do pulso. No entanto, quando reparou, ficou tensa por instinto. Ele fez movimentos mais lentos, mais acariciando a parte de dentro do pulso do que amarrando-a e ela relaxou com seu toque. Para tentar tirar os medos da mente, ela disse:

— Fale mais como você vai me fazer gozar com força.

Ela gostou da maneira como ele gargalhou.

— Tem certeza de que aguenta saber?

O pulso dela estava preso pelo tecido à coluna da cama quando ele concluiu a pergunta.

Ela não tinha certeza de nada naquele momento. Apenas de que precisava continuar com aquilo, independentemente do que acontecera. Não deixaria sua verdadeira sexualidade ser roubada dela mais uma noite. Não mais uma noite. Ela era assim, fora feita para isso, e Chase nunca a machucaria.

Apenas a amaria.

Teria sido mais fácil simplesmente fechar os olhos enquanto Chase prendia seus pulsos e tornozelos, mas ela não queria se esconder de nada naquela noite. Por isso, em vez de esperar para que ele levantasse seu outro braço, ela se forçou a colocá-lo no lugar para ele.

Foi recompensada com um sorriso, seguido pela respiração rápida dele quando ela, de propósito, encaixou o quadril contra a ereção dele, no momento em que ele se mexeu para prender a outra mão dela.

— Que bom que estou amarrando você, ou eu poderia envergonhar a mim mesmo — ele disse com a voz baixa.

Ela não acreditava que ele a fizera rir quando todos os seus botões de pânico deviam ser acionados por causa da posição em que ele a colocara.

— Dê um puxão no tecido para mim.

Mesmo sem as pernas estarem presas, ele havia amarrado os pulsos com bastante eficiência para que ela não pudesse fugir ou se proteger se precisasse.

Ela esperou que o pânico tomasse conta dela, sabia que devia estar vindo. A qualquer instante, iria enchê-la e ela imploraria que ele a soltasse, que a deixasse retornar para a segurança, de volta a uma situação em que não estivesse se obrigando a encarar cada medo maldito.

Mas conforme os segundos passavam, tudo o que sentiu foi o calor do delicado carinho de Chase em seu quadril, sua cintura, seu rosto. E tudo o que sabia era que ele a olhava como se ela fosse a única pessoa importante do mundo.

E foi nesse momento que percebeu algo que deveria ter percebido havia muito tempo: Chase tinha tanto medo quanto ela.

Ele tinha medo de que ela nunca se permitisse amá-lo.

Teria estendido a mão para ele se pudesse, se seus braços não estivessem presos para cima.

— Estou com medo, Chase.

Ele não hesitou nem um segundo antes de começar a desamarrá-la.

— Não — ela disse. Sua garganta estava seca e dolorida. — Não por causa dos nós no tecido.

As mãos dele ficaram imóveis sobre o pulso dela.

— Chloe, querida, não precisamos fazer isso.

Ela sentiu o choro subir do peito.

— Acredite — ela disse —, tentei não fazer.

Ela fechou os olhos, mas, mesmo sem esse sentido, Chase estava por toda parte, seu aroma, o som da sua respiração, seu calor contra a pele nua dela.

"*Amor.*"

Ela já havia sussurrado essa palavra junto ao pescoço dele antes. Não conseguira segurá-la, não quando tanto prazer a estava virando do avesso.

Estivera nos lábios dela, uma jura silenciosa ao homem de quem não conseguia ficar longe. Esperou que ele pedisse para ela realmente dizer aquela palavra, preparou-se para isso.

No entanto, Chase nunca seguia regras e, em vez de ela admitir seu sentimento, em especial quando estava amarrada diante dele e ele tinha o claro controle, assustou-se com uma mudança de peso no colchão e o quente carinho de mãos em suas pernas, descendo das coxas para os joelhos, massageando as panturrilhas antes de chegar ao tornozelo.

Ela abriu rapidamente os olhos, em choque. Lá estava ela, quase confessando seu amor por ele e ele estava apenas continuando a amarrá-la.

Mas, ah, não era a sensação mais gostosa do mundo senti-lo afastar mais suas coxas, vê-lo inclinar-se para deixar um beijo quente na carne ansiosa entre suas pernas antes de voltar a atenção para o tecido ao redor do seu tornozelo?

— Eu adoro o seu gosto — ele comentou, quase sem alarde e, quando sua língua passou por ela de novo em um ataque pecaminoso sobre todos os seus sentidos, ela teria saído da cama se não estivesse amarrada.

— Tão linda — ele murmurou contra o calor úmido dela. — Sempre reagindo tão bem a mim.

Ela mexeu a perna livre para se abrir anda mais para ele.

— Falta apenas uma perna — ele disse em um tom suave e ela estava prestes a processar o que ele dissera, o fato de que estava quase toda presa, quando a língua dele lançou-se para dentro dela.

Tudo no corpo dela revirou-se para aquele ponto que estava prestes a explodir e ela parou de respirar, parou de pensar, não se lembraria de ter medo nem se sua vida dependesse disso, mesmo quando ele voltou a se mexer e amarrou o outro tornozelo.

No entanto, ele não deu a seu cérebro tempo para começar a trabalhar de novo, pois, assim que ela estava presa por completo, sua boca voltou para lá, entre as coxas, dando-lhe mais prazer do que qualquer mulher já tinha sentido antes, com certeza.

E, depois, ela começou a brigar contra as amarras para tentar fugir do toque malicioso da língua dele, do ataque diabólico dos dedos dele dentro do seu calor que se apertava. Ela nem estava lutando por medo... Não, ela estava puxando as amarras simplesmente porque era bom, muito bom saber que estava se entregando, 100%, cada grama da sua fé e confiança, ao homem que amava. Ele já tinha lhe dado dois orgasmos, mas não importava, pois ela já sabia que nunca, nunca se cansaria dele.

Podia ouvir gemidos, súplicas no quarto, mas já estava longe quando percebeu que quem fazia aqueles barulhos desesperados era ela, seu mundo estava sendo despedaçado por um prazer tão intenso que apenas algo tinha chance de permanecer intacto.

— *Amor.*

A palavra saiu dos lábios dela várias vezes até Chase estar a seu lado, até a boca dele dizer a mesma palavra contra a dela e eles se beijarem e ele entrar nela, grosso e quente e tão maravilhosamente grande que ela sentiu que poderia explodir de tão preenchidos que seu corpo, seu peito, seu coração pareciam enquanto ele a amava. Ela não podia envolvê-lo com os braços e as pernas, mas, de alguma forma, sentiu-se mais próxima dele do que nunca quando ele se levantou sobre os joelhos e deslizou para cima para poder olhar o corpo nu dela, escorregadio por causa de seu suor e do dele também.

— Olhe como você é linda, Chloe. Olhe como você é corajosa.

Ele não a tinha pressionado mais cedo, quando a palavra *amor* escapara por vontade própria, ele apenas tinha deixado que seu medo se dissolvesse sozinho.

As pernas dela estavam bem abertas por causa das amarras, o suficiente para ela poder ver com facilidade o membro dele, úmido com a excitação dela, escorregando para dentro e para fora.

O ato era incrivelmente belo.

Chocantemente sensual.

— Como pode ser você quem está amarrada — ele disse com a voz trêmula — e, ainda assim, ser eu quem está perdido?

Ela nunca vira um homem ser tão sincero em relação aos seus sentimentos, suas emoções. Nem achava que fosse possível.

Chase era muito mais que o seu cavaleiro andante.

Ele era o seu milagre pessoal.

— Eu o amo.

A felicidade a invadiu junto com o incrível prazer.

— Eu amo você, muito.

Com tanta rapidez que ela não tinha certeza de como ele conseguira, Chase soltou as amarras e, logo, eles estavam enrolados um no outro, e ele os virou para que ela ficasse por cima dele, olhando para o homem que conseguira encontrar um coração enterrado tão fundo que ela nem sabia que ainda estava lá.

No final, foi o olhar de amor dele — um amor que prometia a eternidade, um amor que nunca a decepcionaria — que a fizera cruzar a barreira.

Diretamente para os braços amorosos de Chase.

CAPÍTULO DEZENOVE

Chloe acordou com as pernas entrelaçadas nas de Chase e os olhos dele sobre ela enquanto ele se apoiava em um cotovelo e dizia:

— Bom dia.

Ela se sentia sonolenta e aquecida e incrivelmente alegre.

— Oi.

Com a mão livre, Chase tirou com delicadeza o cabelo de sua testa, mas, mesmo o toque dele sendo gentil, mesmo ela ainda lutando contra o sono, Chloe pôde sentir o quanto ele estava tenso.

A noite deles tinha sido tão maravilhosa, do começo ao fim, que ela mal conseguira acompanhar o ritmo, com o incrível prazer de simplesmente estar com Chase.

O jantar romântico e perfeito.

O divertido jogo de bocha.

E, depois, o sexo tão pecaminoso e, ainda assim, tão doce, tão além de qualquer êxtase que ela já imaginara experimentar.

— Eu amo você.

Um pedacinho bem pequeno de tensão deixou o rosto dele, deixou seus músculos quando ele olhou para ela e, em seguida, ele pressionou sua boca contra a dela em um beijo delicado que, de alguma maneira, ainda assim conseguiu deixá-la sem fôlego.

Ela se mexeu na cama e sentou-se encostada na cabeceira. O lençol não cobria os seios, mas a última coisa em que pensava era pudor. Estava tentando ganhar tempo, e odiava-se por deixar a situação ainda mais tensa... mas tudo o que estava sentindo havia surgido tão de repente que ela mal conseguia entender as emoções que a dominavam.

— Não quero que você vá embora.

As palavras emocionadas de Chase ressoaram até o fundo da alma de Chloe.

— Eu amo você.

Ele deslizou as mãos sobre as dela.

— Você me ama.

— Chase, eu...

Ele pressionou um dedo nos lábios dela.

— Por favor, deixe-me apenas dizer mais uma coisa.

Ela parou e concordou, balançando a cabeça.

— Sei que você quer provar algumas coisas a si mesma, mas você não precisa provar nada. Você é uma mulher incrível, a pessoa mais doce e forte que já tive a sorte de conhecer. Não tenho nenhuma dúvida de que pode resolver os problemas que quer resolver sozinha.

Ele acariciou o rosto dela e ela teve de virar o rosto na direção do calor dele. Do amor dele.

— Deixe-me ajudá-la. Deixe-me ficar ao seu lado. Deixe que nossa união seja sua força.

Durante toda a noite, enquanto dormia nos braços dele, seu subconsciente trabalhara a todo vapor, tentando imaginar como lidaria com tudo. E, nos últimos quatro dias, ela estivera aproveitando, maravilhada, a doçura de cada um dos sorrisos de Chase, o calor dos beijos dele, a sensação boa de estar ao lado dele, o quão incríveis e inesperadas as palavras de amor dele eram. Tentou se convencer de que ir embora ainda era o plano certo, que era algo que ela *tinha* de fazer para conhecer sua própria força.

Mas o amor, o amor que não podia mais negar que sentia por Chase, tinha mudado tudo.

Sobretudo sua crença teimosa de que precisava ir sozinha para provar que era forte, para provar que não era uma vítima. Quem ela queria enganar? Apenas uma tola fugiria daquele homem.

Já havia sido tola uma vez, mas aprendera com seus erros: não daria as costas para um amor assim tão puro, tão real.

— Naquela noite em que você me encontrou — ela começou, em um tom suave —, eu sabia que nunca mais confiaria em um homem. Sabia que não era possível. Mas você entrou na minha vida e a virou de ponta-cabeça. E, de repente, tudo que eu sabia, tudo em que eu acreditava, foi colocado em dúvida. — Ela balançou a cabeça. — Eu não queria me fazer essas perguntas. Não queria cometer o erro de ter esperança de novo. Não queria acabar acreditando na coisa errada mais uma vez. Era mais fácil, bem mais fácil, agarrar esses sentimentos antigos. Era mais fácil dizer a mim mesma, dizer a você, que nossa ligação era apenas física. De alguma maneira, eu tinha de encontrar um jeito de justificar o porquê de eu não negar seu toque, seus beijos.

Chloe percebeu que combinava bem ela estar nua, na cama com Chase, enquanto confessava seus pensamentos mais secretos, seus segredos finais. Ela não esconderia mais nada dele. Daquele momento em diante, ela lhe daria, de boa vontade, seu corpo. Seu coração.

E sua alma.

— Eu acho que sabia desde o começo que nossa ligação ia além do lado físico. Acho que sabia desde o começo que nada me impediria de me apaixonar por você. Não importava quantas vezes eu tentasse dizer a mim mesma que iria embora, que precisava ir embora, que seguir por conta própria era a única opção, meu coração se partia de novo só de pensar em abandoná-lo. Pensei que ser forte significava estar sozinha, significava ficar em pé sem precisar de nada nem de ninguém como apoio. Porém, você falou da sua família, eu o vi com Marcus e vi como você trabalha em conjunto com sua equipe. Você me mostrou que a força verdadeira vem de aprender a confiar de novo. Você me faz querer ser corajosa o suficiente para amar de novo.

Chloe aproximou-se de Chase, o lençol caiu por completo do colo dela quando ela ajoelhou na cama em frente dele, segurando as mãos dele com força junto ao coração.

— Ainda quero ser mais forte, ainda quero ser uma pessoa melhor... mas, quando estou com você, já sou a minha versão melhor e mais forte. Seu amor me faz sentir que eu posso encontrar a mulher que venho procurando dentro de mim todos esses anos.

As lágrimas estavam escorrendo, uma após a outra, enquanto ela confessava a verdade de seus sentimentos.

— Sei que precisamos sair logo deste mundo de fantasia, mas não quero deixá-lo. Nem agora, nem nunca.

O coração dela batia forte, ridiculamente forte, enquanto ela esperava que ele respondesse.

Mas ele não disse nada, aquele homem incrível que a amava tanto. Ele apenas a pegou no colo e abraçou-a.

Conforme todos os seus sonhos por fim se tornaram realidade, Chloe quis rir de alegria. Queria derramar lágrimas de afeto pela garotinha dentro de si que nunca pudera desistir do sonho de ternura.

E queria amar o homem que prendia seu coração no dele.

Tinha feito a escolha e mordiscou os lábios dele uma, duas, três vezes. A cada mordida amorosa, podia senti-lo ficar maior, mais volumoso contra suas partes íntimas.

Ela não pensou, não precisava mais se preocupar em esconder seus desejos, quando se levantou o suficiente para ficar por cima da ereção dele e, depois, baixou o corpo sobre o seu membro rijo. Ele era grande, mas ela já estava mais do que pronta para ele, desde o momento em que o "bom-dia" tinha saído dos seus lábios.

E, ainda assim, mesmo sentindo o quanto era difícil para Chase manter o controle, ele a deixou conduzir a relação. Mas, ah, como ela adorava fazê-lo perder o controle. E como estava desesperada para que ele se descontrolasse de novo e de novo até que não houvesse mais pensamentos, não houvesse mais chance de pararem e pensarem e se preocuparem.

— Ontem à noite — ela disse enquanto se levantava quase por completo do membro dele —, você se lembra de quando eu o tive na minha boca?

Ela deslizou de novo para baixo e ele pulsou com força contra o corpo dela, quase disparando a própria reação explosiva dela.

— Você ficou tão maravilhosa daquele jeito, Chloe.

Cada palavra doía, ela pensou, enquanto ela baixava o corpo novamente sobre ele.

— De qual parte você gostou mais? — ela perguntou com a voz mais inocente. — Eu ficar de joelhos na sua frente?

Ela piscou para ele, com os olhos arregalados.

— Ou foi observar enquanto você escorregava para dentro e para fora da minha boca, ver meus lábios esticados para encaixá-lo inteiro?

Foi quando ela sentiu a vibração de um gemido que começou no fundo dos pulmões dele antes de sair contra sua boca quando ele lhe cobriu os lábios e a beijou com força.

No instante seguinte, ela estava deitada com as costas na cama, os braços para cima e presa no lugar por uma das mãos dele em seus pulsos. Uma e outra vez ele entrou nela e ela enrolou as pernas na cintura dele para levá-lo mais fundo e, depois, ainda mais fundo.

Ela não estava com nem um pouco de medo da maneira como ele a segurava, mas, antes que pudesse lhe dizer o quanto estava bom, como estava perto do orgasmo, ele parou dentro dela.

— Não quero tomar nada que você não queira me dar. Mas eu a desejo muito, preciso muito de você, para não perder o controle um dia.

Ela adorava o fato de ele estar sendo tão cuidadoso com seu coração mesmo quando seus corpos estavam prestes a perder por completo o controle. E, ainda assim, ela já não precisava mais daquelas pausas. Não precisava que ele garantisse mais vezes que ela estava segura ali.

— Adoro quando você perde o controle. Adoro saber que posso fazer isso com você. Adoro saber que posso dividir todas as minhas fantasias com você, e que, às vezes, você vai me amarrar e, outras vezes, você será amarrado e esperará que eu passeie com a língua por cada centímetro do seu corpo.

— Nunca vou me perdoar se ultrapassar o limite, Chloe.

— Não há limites, Chase. Não há fronteiras. Não precisamos deles, sei disso agora, não quando o amor está por trás de cada beijo...

Ela apertou seus lábios contra os dele.

— Não quando é o amor que incentiva cada mordida...

Ela mordiscou o ombro dele e, depois, acariciou a pequena ferida com a língua.

— Não quando é o amor que me faz implorar para você me tomar com mais força. Com mais velocidade.

Ela apertou os músculos internos em volta dele para fazer valer seu argumento.

Chloe olhou para os belos olhos verdes que sempre a miravam com admiração, com bom humor… e com amor.

— Fico mole nas suas mãos. E adoro. Pegue-me, Chase. Vire-me do avesso. — Ela lambeu os lábios dele antes de acrescentar: — Ultrapasse o limite. Eu o desafio.

Assim que o desafio ressoou pelo quarto, tudo se tornou um borrão conforme ele a virou na cama para ficar apoiada nas mãos e nos joelhos.

Ah, minha nossa, ela pensou quando ele entrou nela por trás. Ela apertou o punho contra os lençóis e segurou-se como se sua vida dependesse disso, enquanto ele se chocava contra ela de novo e de novo com as mãos passando dos quadris para os seios e, depois, de volta para o meio das pernas em um caminho perfeito de prazer. *Como ela adorava quando ele cruzava a linha e reduzia os limites dela a pedaços.*

Chloe não tinha mais medo de ser controlada e Chase não se controlava mais, com medo de pressioná-la. Tudo o que restava era o doce êxtase da confiança.

E o amor puro.

Depois de um banho tão longo e maravilhoso que a água já tinha ficado fria quando Chase finalmente tirou o xampu dos cabelos de Chloe, ela disse:

— Vou ligar para a polícia e fazer uma denúncia. Também vou pedir uma medida cautelar. Sei que devia ter ligado na mesma hora. Eu não estava com vergonha de dizer à polícia o que aconteceu comigo. Sei que não há nada para ter vergonha.

Os olhos dela escureceram quando continuou:

— Eu apenas continuava achando que devia ter sido esperta para prever o problema, que, se tivesse percebido quão louco e bravo ele estava por eu tê-lo deixado, poderia com certeza ter evitado que ele me machucasse.

Chase pensou que se algum dia ficasse cara a cara com o ex-marido de Chloe, não tinha ideia do como se controlaria para não matar o desgraçado.

— Você é tão boa, tão doce, tão forte que pode fazer qualquer coisa que quiser. Qualquer coisa menos culpar a si mesma pela fraqueza de outras pessoas.

— Agora sei disso.

No jantar da noite anterior, ele não tinha lhe mostrado todas as fotos que tirara dela. Assim, foi até a bolsa das câmeras e tirou outra pilha de fotografias.

— Eu tirei estas para servirem de prova.

Ela pegou as fotos dele e olhou rapidamente os diferentes retratos que ele tirara do machucado dela escondido naquele primeiro dia.

— Eu devia ter pensado em pedir para você tirá-las. Mas eu… — ela parou e respirou fundo. — Eu não estava pronta para pensar no que precisava fazer.

O sorriso dela era discreto, mas estava lá, pelo menos por um breve momento.

— Obrigada por ter tirado estas fotos, por pensar no futuro quando eu não conseguia.

Ela estendeu a mão para ele.

— Você fica comigo enquanto eu faço a ligação?

Chase estava prestes a lhe dizer que podia fazer mais do que ficar ao lado dela durante uma ligação. Ele e os irmãos garantiriam que o ex-marido nunca mais se aproximasse dela.

Em vez disso, ele foi com ela para a cozinha, entregou-lhe o telefone e segurou a mão dela o tempo todo. Quando a ligação chegou ao fim, Chloe parecia transtornada.

— Eu já disse hoje o quanto você é corajosa?

— Eu amo você também — foi a resposta dela.

Ele a puxou para o colo e quis segurá-la daquele jeito para sempre. Mas o silêncio a deixava muito suscetível a repassar várias vezes na mente o que havia acabado de contar à polícia.

— Finalmente vou poder tomar café da manhã com você.

Ela levantou a cabeça do peito dele, surpresa.

— Café da manhã?

— Você está a ponto de ser abençoada por outro dos meus muitos talentos.

Ele ergueu as sobrancelhas com uma luxúria fingida para lembrá-la exatamente qual talento ela já experimentara. Ele sentiu saudades do calor, da doçura dela quando ela saiu do seu colo, mas estava muito feliz por vê-la sorrir quando colocou um avental florido.

— Juro que não vou dizer nada sobre *marshmallows* — ela prometeu, rindo, quando ele se virou para ela amarrar o avental nas costas dele.

Quando ele desvirou, os olhos dela estavam dançando, graças a Deus.

— Definitivamente ainda é o Sr. Sexy.

Ela estendeu a mão para pegar uma tesoura do suporte de facas na cozinha.

— Que tal eu ir buscar algumas flores para combinar com seu belo avental?

Ela saltou para longe do alcance dele antes de ele poder dar um tapa no traseiro curvilíneo. Feliz com o som da sua risada, ele disse:

— É melhor a Chapeuzinho Vermelho ir antes de o lobo mostrar que ainda está com fome de panquecas.

A risada constante, assim como as palavras "promessas, promessas", seguiram-na porta afora.

Chase ficou olhando Chloe por bastante tempo, incrivelmente grato por todas as bênçãos em sua vida, sendo que a maior de todas era a mulher que amava.

Ela dissera naquela manhã que não tinha medo de ele ultrapassar os limites… Não, ela não tinha apenas dito, tinha mostrado com o corpo o que queria lhe dar, o que queria que ele aceitasse. Porém, haveria momentos em que ele a deixaria zangada, quando agisse em nome dela sem pensar. Deus sabia que ele e os irmãos tinham feito isso muitas vezes com as irmãs, tudo em nome da proteção. Não apenas por serem mais velhos, mas por acharem que sabiam mais.

No entanto, embora Chase soubesse que ele e Chloe com certeza teriam discussões no futuro, também sabia que o amor deles era forte o suficiente para sobreviver a um pequeno conflito.

E, minha nossa, fazer as pazes depois das futuras "discussões" sobre limites seria divertido. Ele estava rindo quando pegou a farinha na despensa e, depois, os ovos e o leite na geladeira.

Em primeiro lugar, iria surpreendê-la com panquecas… e, em seguida, surpreendê-la de uma maneira inteiramente diferente, que a faria esquecer por completo o café da manhã.

CAPÍTULO VINTE

Chloe tinha temido o momento de fazer aquela ligação para a polícia por tanto tempo que presumira que seu estômago ficaria revirado por horas, se não dias, depois dela. Mas ela não se sentia fraca nem trêmula. Bem ao contrário. Sentia-se muito mais leve, como se pudesse correr montanha acima e não perder o fôlego ao chegar ao topo.

A alfazema plantada em frente da casa de hóspedes havia florescido por completo e ela podia sentir o aroma conforme o sol a aquecia e aquecia também as flores e uvas que cresciam nas videiras por toda a estonteante propriedade de Napa Valley. Sorrindo, ela se aproximou das plantas com a tesoura e tinha acabado de começar a cortar um buquê grosso quando ouviu um barulho repentino atrás de si.

O instante que seu cérebro levou para perceber que Chase não a ficaria espiando foi um segundo longo demais para que ela saísse do caminho da mão que tapou sua boca.

A tesoura caiu quando o homem a puxou com força em direção ao corpo.

— Sua vadiazinha, eu a vi brincar de casinha com aquele cara.

Dean.

Como ele a encontrara ali?

Chloe se esforçou para controlar o pânico. Se deixasse o medo dominá-la, não poderia pensar direito o suficiente para lutar contra ele. Para lutar pela vida que merecia.

No lugar do medo, ela liberou a fúria.

Porque não ia fugir dessa vez.

Não, nunca mais fugiria.

A mão do marido estava macia e suada sobre o rosto dela quando ele sibilou na sua orelha:

— Você está implorando para ele fazer todas aquelas coisas sujas, sua vaca imunda?

Ele estava ainda mais bravo do que no dia em que fora ao apartamento dela. O orgulho dele devia estar muito ferido por ela ter lhe acertado com a lata de tinta. E, depois de viver com ele por tantos anos, Chloe sabia

como seu cérebro funcionava: ele imaginava que ela ainda não tinha procurado a polícia, que estava muito assustada para contar a alguém o que ele tentara fazer com ela.

Ela sabia o que ele esperava que ela fizesse. Ele esperava que ela aceitasse o que ele lhe desse. Esperava que ela se encolhesse. Assim como ela devia ter feito durante todos aqueles anos que passaram juntos. Ele nem precisara usar a força durante o casamento para fazê-la se render a ele. Tudo que ele precisava fazer era olhar para ela como se ela não valesse nada... e ela acreditava nele.

Bem, ela sabia bem melhor agora o quanto valia. E quem era.

Chloe usou o desprezo dele por ela a seu favor e mordeu a palma da mão dele com o máximo de força que tinha. Sentiu gosto de sangue quando ele gritou de dor.

Ela aproveitou a chance e deu um chute para trás, esperando acertar as joias dele, e mergulhou para pegar a tesoura.

Chloe quase a pegou quando seu cabelo foi puxado para trás, com força suficiente para arrancar lágrimas de seus olhos. De alguma forma, ela prendeu o choro de dor, sabendo, agora, que Dean ficaria excitado com aquilo.

— Eu rastreei seu carro e subornei o motorista do guincho para dizer onde o tinha pegado — ele se gabou. — Mas não pensei que você já estaria na cama com outro cara quando eu chegasse aqui.

Ele puxou o cabelo dela de novo, tão forte que a visão de Chloe quase escureceu de dor.

— Conte o que ele está fazendo com você. Agora!

Ela sabia o que aconteceria quando lhe contasse a verdade. Ele bateria nela de novo. Ela via o quanto ele queria aquilo.

Meu Deus, tinha doído tanto na primeira vez, mas Chloe sabia que tudo de que precisava era chegar alguns centímetros mais perto da tesoura. E, então, garantiria que a situação mudasse.

Para sempre.

Com um sorriso insolente nos lábios, ela disse:

— Você não aguentaria saber o quanto ele é bom. O quanto é melhor que você.

Assim como esperava, o punho dele chegou nela. Mas, dessa vez, ela não estava com medo, não estava apenas tentando fugir como naquela noite horrível quando ele fora a seu apartamento. Não conseguiu se mexer muito para evitar o soco, mas o choque de ser atingida foi ofuscado pela vitória de agarrar a tesoura alguns segundos depois.

O punho dele estava quase no rosto dela mais uma vez quando ela se abaixou, virou e mirou a ponta afiada das lâminas no homem para o qual ela uma vez havia feito juras diante da família, tudo porque não fora corajosa o suficiente para confiar no próprio coração.

Ela por fim confiara nele. E não deixaria ninguém tirar de si o amor que merecia.

Quando o atingiu com a ponta da tesoura afiada bem ao lado do machucado escuro e do corte que ela deixara nele quando fora atacada no apartamento, o berro de dor de Dean o fez cambalear para trás... diretamente no caminho de Chase. O punho dele acertou em cheio o centro do maxilar de Dean; o som de osso batendo em osso soou alto e terrível no vinhedo antes tranquilo.

Dean chegou a ficar vesgo enquanto tropeçou para trás, mas Chase não parou por ali, continuou jogando o punho contra o rosto do ex-marido de Chloe até ele parecer um boneco, com a cabeça balançando do alto do pescoço magro.

Uma voz na mente de Chloe, uma voz baixa, dizia-lhe que devia segurar Chase antes que ele fizesse um dano permanente. Mas, antes que pudesse, as pernas de Dean cederam.

Ele atingiu o chão com força e ela esperava que estivesse inconsciente, devido ao barulho que sua cabeça fez ao chegar à terra, mas ele ainda piscou na direção dela, gemendo enquanto uma linha de sangue escorria de sua boca.

Chase estava abaixado ao lado dele, com as mãos na sua garganta, um instante depois.

— Peça desculpas à Chloe.

Ela nunca vira Chase assim, sem qualquer controle. Sim, ela sempre soubera o quanto seu amante era forte e poderoso, mas ainda era impressionante vê-lo protegê-la daquela forma.

Como Dean não pediu desculpas rápido o suficiente, Chase apertou as mãos na garganta dele até ele começar a tossir.

— Vou lhe dar uma última chance de pedir desculpas a ela.

Dean começou a revirar os olhos, mas Chase não o deixaria desmaiar e sacudiu-o até que ele gemesse de novo.

— Peça desculpas agora. Ou então…

A ameaça na voz grave de Chase fez Dean abrir os olhos e encarar Chloe.

— Desculpe, Chloe.

Ela não conseguiu falar, conseguiu apenas balançar a cabeça, concordando.

Dean começou a desmaiar de novo, mas Chase o sacudiu.

— Ainda não acabamos, cretino.

Ela nunca vira o ex-marido parecer tão acabado. Seu rosto estava sangrando e machucado, ele estava chorando e tinha terra misturada ao muco que escorria do nariz.

— Você vai se aproximar dela de novo?

Chase enfatizou a pergunta batendo a cabeça de Dean na terra algumas vezes.

— Não.

Dean estava choramingando.

— Nunca. Nunca mais vou incomodá-la.

Os olhos dele por fim se reviraram completamente e ele desmaiou. Frio.

Chloe estava olhando o ex-marido, caído no chão, parecendo tão pequeno, quando os dedos de Chase acariciaram com calor e delicadeza seu rosto dolorido.

Ela voltou o olhar para ele enquanto ele a abraçava.

— Chloe, querida. Ele bateu em você. De novo.

Mas ela não se importava com o próprio rosto, não quando ainda conseguia ouvir o barulho assustadoramente alto de ossos batendo cada vez que Chase tinha acertado Dean com o punho.

— Por favor, diga que não machucou sua mão.

— Sou feito de aço, não *marshmallows*, lembra? — ele disse com um sorriso. — São necessários mais do que alguns socos para machucar meus dedos.

Ela podia sentir a raiva, o medo pela segurança dela irradiarem do corpo dele.

— Mãos sangrentas valem a satisfação de garantir que ele nunca mais se aproxime de você.

Ela sabia que Chase queria causar mais estragos em Dean para compensar o que o ex-marido fizera a ela... Não apenas o machucado no rosto, mas os anos de controle sobre ela... e a falta de amor.

Chloe puxou as duas mãos de Chase entre as suas e segurou-as perto do coração.

— Você disse que faria qualquer coisa por mim.

— Qualquer coisa — ele confirmou.

— Ele não vale a pena. Não vale mais da sua raiva. Não vale que você machuque mais as mãos na cabeça dura dele, já que precisa desses dedos em perfeito funcionamento para tirar suas belas fotos. Quero que você deixe a polícia assumir daqui para frente.

Um suspiro alto e frustrado saiu da linda boca de Chase.

— Vou morrer por deixá-lo escapar, Chloe. Por saber que ele a machucou e não pagou por isso.

— Mas fará isso, não? Vai se afastar. Por mim.

Ela o viu ter uma batalha interna e o amou ainda mais pela maneira como ele queria cuidar dela.

Por fim, ele disse o que ela sabia que ele diria:

— Qualquer coisa, querida. Eu faria qualquer coisa por você.

Ela ficou nas pontas dos pés para que sua boca ficasse quase colada na dele.

— Eu sei. E eu faria qualquer coisa por você.

Ela apertou os lábios contra os dele e, depois, sussurrou:

— *Tudo.*

Alguns segundos depois, ela pegou o celular que ele lhe entregou e chamou a polícia, pedindo que viesse logo. E, embora não fosse deixar

Chase acabar com Dean da maneira como ele claramente queria, não teve nenhum problema em deixá-lo amarrar seu ex-marido com uma corda forte. Apertou tanto que Dean recobrou a consciência.

Chloe e Chase ignoraram os gemidos dele e foram para a varanda, de onde o ficaram observando enquanto esperavam a chegada dos policiais. Ela sabia que Chase não queria deixá-la sozinha por mais do que alguns segundos e ele correu até a cozinha para pegar gelo com mais rapidez do que seria humanamente possível.

Ele a colocou no colo e segurou o gelo perto do seu rosto, assim como fizera na noite em que a conhecera, e disse, em tom suave:

— Sinto muito, Chloe. Eu devia ter vindo aqui para fora com você.

— Não é sua culpa ele ter vindo até aqui atrás de mim. Como você disse mais cedo, nenhum de nós poderia ter adivinhado o que ele faria. Mas tenho certeza de que ele não vai me machucar mais.

— Não — Chase concordou em voz baixa —, não vai. Sabe por quê?

— Porque ele quer manter os dentes que você deixou na boca dele. E, depois que ele descobrir que há mais cinco pares de punhos como os seus...

— Você tem razão. Ele está sem sentidos de tão assustado, mas não por causa do que eu fiz, não por causa do que eu disse.

— O que você quer dizer?

Ele sorriu para ela, um sorriso tão cheio de amor e respeito, que tirou o fôlego de Chloe.

— O motivo de ele não machucá-la mais, querida, é porque você o derrotou. Ele não precisava da minha surra para garantir que não chegasse perto de você mais uma vez. Você já tinha vencido a batalha. O golpe da tesoura foi genial. E sua mira, perfeita.

Ele parecia um pouco envergonhado.

— Você não precisava que eu entrasse na briga... Eu só não consegui me controlar. Não depois de ter passado a semana toda com vontade de pegá-lo.

Chloe não se importava se sorrir fazia doer seu maxilar recém-ferido. Ela não teria conseguido conter o sorriso por nada. Chase acreditava nela.

Ele não era o único. Ela finalmente acreditava em si mesma também.

— Sabe o que eu percebi esta semana?

— Que eu sou um deus do sexo.

A gargalhada que reverberou por ela parecia levar toda a dor embora.

— Sim, Sr. Sexy, você com certeza é um deus do sexo. Mas eu também percebi que eu gosto de fazer parte de uma equipe. Com você.

Ela não sabia se já tinha visto Chase tão feliz, nem mesmo quando ela lhe dissera que se apaixonara por ele.

E ela estava tão feliz quanto ele. Porque ela não estivera apenas procurando carinho durante toda a vida... Ela também procurava fazer parte de algo maior que ela mesma.

Uma família. Ela queria saber que fazia parte de uma família que a amava, independentemente de qualquer coisa.

Sempre.

Para sempre.

Nesse momento, as sirenes gritaram pelos portões do Vinhedo Sullivan. Chloe falou com os policiais e viu quando colocaram o ex-marido no banco traseiro de uma das viaturas.

— Como está se sentindo, querida?

Chase não tinha soltado a mão dela por um único segundo e, conforme os carros da polícia se afastavam, ela virou-se entre os braços dele e descansou a cabeça em seu grande peito.

— Estou um pouco triste — ela admitiu. — Todos aqueles anos... Fico tentando dizer a mim mesma que não foram desperdiçados.

Ela levantou o rosto para olhar nos belos olhos dele.

— Eles me trouxeram a você.

Antes que ela percebesse o que ele estava fazendo, Chase apoiou-se em um dos joelhos, no meio do jardim. Estendeu a mão para o arbusto com alfazemas e puxou um caule florido.

— Chloe Peterson, eu a amo.

Ela adorava ouvir aquelas três palavras que enchiam sua alma de calor... e felicidade sem fim. Porém, mesmo que ele nunca mais as dissesse, ela saberia como ele se sentia apenas de olhar em seus olhos.

— Quer se casar comigo?

Chloe não tinha mais dúvidas de que era uma mulher forte. Também sabia que não precisava ser forte com Chase.

O que era muito bom, pois suas pernas logo ficaram fracas, seus olhos estavam molhados e tudo que pôde fazer foi concordar com a cabeça e sussurrar:

— Sim.

Enquanto isso, Chase prendeu a alfazema ao redor do dedo dela.

E, quando ele levantou e a beijou, Chloe ficou maravilhada ao perceber que seu conto de fadas não estava acabando, no final das contas.

Estava apenas começando.

EPÍLOGO

Marcus Sullivan observou os garçons circularem pelo *loft* de Chase e Chloe em São Francisco com bandejas cheias com alguns de seus melhores vinhos. Haviam anunciado o noivado um mês antes e, naquela noite, estavam compartilhando sua felicidade com todo o clã Sullivan.

Todos tinham cancelado ou remarcado compromissos para estarem lá. Até mesmo Smith viera da Itália, onde estava gravando um filme de suspense com um grande orçamento, para passar o fim de semana. Os pais de Chloe estavam claramente admirados, não apenas por conhecerem uma grande estrela do cinema, mas como toda a família Sullivan, exceto Lori, que ficara presa até tarde na gravação de um vídeo de um novo *pop star*. A mãe, Mary, passara quase a noite toda ao lado dos pais de Chloe, esforçando-se ao máximo para garantir que se sentissem confortáveis.

Parado um pouco distante do grupo, Marcus estava feliz pelo irmão. Chase havia escolhido uma boa mulher. Uma mulher perfeita, na verdade. Marcus engoliu todo o conteúdo da sua taça sem saboreá-lo e pegou outra de um jovem garçom antes que ele pudesse escapar. Ele nunca bebia além do limite. Ficar bêbado nunca fora seu estilo e, como ele estava no ramo dos vinhos, uma predileção por beber demais teria sido mais que uma questão de saúde, poderia ter sido ruim para os negócios também.

Naquela noite, entretanto, Marcus não estava ligando nem um pouco para os negócios. Ou por ficar sóbrio.

Como Jill tinha permitido que ele entrasse de surpresa e a pegasse com...

A segunda taça desceu com a mesma rapidez da primeira e ele ia pegar a terceira quando percebeu a mãe caminhando em sua direção.

Apenas alguns minutos antes, ela dissera a todo mundo o quanto estava animada por, enfim, ver um de seus filhotes se casar. O que ela não tinha dito era que sempre pensara que o mais velho seria o primeiro a ir ao altar.

Marcus tinha pensado o mesmo. Agora, ele sabia que não seria assim.

Agora ele sabia que os últimos dois anos esperando Jill estar "pronta" para o próximo passo não haviam sido nada além de uma mentira.

Para interceptar a mãe, Marcus disse:

— Eles ficam ótimos juntos, não?

A mãe olhou para o feliz casal com um sorriso.

— Ela é perfeita para ele. Forte, criativa, linda.

Em pouco tempo, os olhos dela estavam de novo em Marcus, e ela pôde vê-lo engolir a terceira taça. A tolerância dele era mais alta que a da maioria, mas ele normalmente não bebia aquela quantidade com tanta rapidez.

— O que aconteceu, querido?

— Nada.

Entretanto os dois sabiam que ele estava mentindo.

Marcus precisava sair de lá antes que estragasse a festa.

— Voltarei à cidade no próximo fim de semana e irei visitá-la.

A mãe colocou a mão no braço dele.

— Jill estará com...

Nesse momento, Lori entrou correndo pela porta da frente, ainda usando as roupas de dança, antes de a mãe poder terminar a frase.

— Ai, meu Deus, achei que nunca sairia daquele estúdio!

Em um instante, ela estava ao lado do casal feliz, exclamando:

— Minha nova futura irmã!

Ela jogou os braços em volta de Chloe.

— Precisamos tirar uma foto de toda a família!

Feliz, a mãe entregou sua câmera a um dos garçons para tirar fotos dos Sullivan e dos Peterson. Marcus ficou parado, com o corpo duro, em um dos cantos do grupo e, assim que as fotos foram tiradas, ele foi embora antes que qualquer um pudesse impedi-lo.

Ele não tinha casos de uma noite havia dois anos, não levara uma estranha bela e bem disposta para a cama durante 24 meses desperdiçados. Como um idiota, havia desistido do sexo quente pela promessa falsa de amor.

Bem, Marcus agora estava muito mais esperto.

E, naquela noite, ia compensar o tempo perdido.

Conheça um pouco do próximo livro da série

Por um Momento Apenas

Capítulo 1

Marcus Sullivan tinha uma missão a cumprir.

Vinte minutos antes, saíra da festa de noivado de seu irmão rumo ao bochicho no centro do bairro de Mission, em São Francisco. A batida da música dançante ecoava pela rua, tão alto que a multidão que esperava na fila já estava dançando.

Couro e piercings, tatuagens e cabelo fluorescente não faziam parte do ambiente a que Marcus estava acostumado. Mas pelo menos os homens e mulheres na fila, com argolas atravessando o nariz e as sobrancelhas, pareciam felizes e satisfeitos.

Marcus tinha planos de estar muito mais satisfeito nas próximas horas.

Ele passou pela longa fila e, apesar de estar usando terno e gravata, o segurança olhou-o de cima a baixo e abriu o fecho da corda para deixá-lo entrar. Marcus era um homem grande e, embora não se valesse de seu tamanho para intimidar as pessoas, não hesitava em usar quaisquer armas que tivesse à sua disposição se precisasse.

A batida da música fez seu corpo pulsar quando atravessou a passagem escura e entrou no clube lotado, mas a música alta e as luzes intermitentes nem de longe conseguiram dispersar seus pensamentos.

Não era por isso que ele estava ali; não estava ali para esquecer o que vira.

Não, ele não queria esquecer, não se permitiria cometer o mesmo erro novamente.

Marcus estava ali para recuperar os anos perdidos. Dois anos antes, conhecera Jill na cidade, em uma noite quente de agosto, num evento de caridade que a empresa dela estava patrocinando. Assim que ele colocara os olhos sobre a beleza loura e fria dela, sabia que havia encontrado a peça do quebra-cabeça de sua vida até então bem organizada. Com Jill ele vislumbrara um futuro: casamento, filhos, jantares importantes em sua vinícola com a esposa perfeita ao seu lado. Mas, naquela tarde, descobrira que tudo fora muito aquém da perfeição.

Marcus podia ouvir gemidos enquanto virava a chave no ferrolho da porta do apartamento de Jill. Parecia um filme com volume muito alto nas partes mais picantes, mas Marcus tinha certeza que não; já sabia há meses, se é que estava sendo honesto consigo mesmo.

Abriu a porta e atravessou o apartamento de sua namorada, o gemido aumentando a cada passo que dava.

— Aaah, assim mesmo! Bem aí! Assim, assim!

Jill sempre gostou de gritar na cama, mas ele nunca havia se dado conta do quanto tudo soava falso, agora que estava assistindo ao show de um lugar menos privilegiado. Cerrou os punhos enquanto dava a volta pela cozinha e foi em direção ao quarto dela.

Tempos atrás pediu que se mudasse para Napa para viver com ele em sua vinícola, mas ela sempre tinha uma razão para não ir. A última desculpa fora que seu apartamento atual era um achado, praticamente a um quarteirão de sua empresa de planejamento financeiro, que frequentemente precisava dela às 4h40 da manhã. Ela disse que ele poderia ficar lá quando bem quisesse.

Marcus nunca se sentira à vontade no apartamento dela, tudo em tons frios de branco, com superfícies espelhadas ou de vidro que ficavam com as marcas de dedos ao menor toque. Mas queria um futuro com ela e achou que isso significasse abrir mão de algumas coisas, assumir compromissos.

Quantos fins de semana ele tinha ido à cidade para ver Jill quando era conveniente para ela? Quantas vezes ele tinha mudado sua agenda totalmente em menos de um segundo para estar com ela em um momento de necessidade?

Vezes demais.

Mas nunca, nenhuma vez, havia entrado em um show pornô ao vivo, estrelado pela própria namorada.

Ela estava montada no cara como se ele fosse um garanhão selvagem, e ela, uma estrela de rodeio.

Ele viu a pele nua, as pernas e braços — que merda, não tinha como não vê-los da porta do quarto — mas era como se os estivesse assistindo de uma distância clínica, como se estivesse num hotel e, por acidente, surgisse um filme pornô na TV a cabo.

— Quem...?

O cara embaixo da namorada olhou para Marcus com medo. Claramente ele não esperava que alguém entrasse de repente.

Foi quando Jill se mexeu ligeiramente para olhá-lo por sobre os ombros. Os olhos dela se arregalaram no que era para ser uma surpresa. Porém, ele a conhecia bem o suficiente para enxergar além daquilo. Pelo menos ele achava que a conhecia.

Quanto do relacionamento deles havia sido uma mentira?

Jill se mexeu para puxar um lençol sobre ela e o amante. Marcus observou os corpos escorregarem enquanto se separavam, olhando o cara alcançar o lado da cama para colocar a calça jeans.

— Vou dar o fora daqui! — o cara disse, mas Jill segurou a mão dele e o fez ficar na cama.

— Não, Rocco, não precisa ir embora.

Rocco? Sua namorada de beleza clássica, a mulher com quem planejou se casar e construir uma família, a mulher com quem pretendia compartilhar a direção da Vinícola Sullivan, estava transando com um cara chamado Rocco, com um cavanhaque horroroso e de piercings? Só podia ser uma piada de muito mau gosto.

O cara olhava de um para o outro, ficando pálido ao pousar os olhos sobre os punhos cerrados de Marcus e ao perceber a maneira com que os ombros dele ocupavam quase todo o espaço da porta.

Jill deixou o lençol cair e se enfiou em um robe de seda jogado sobre uma cadeira no canto do quarto. Ela foi em direção a Marcus.

— Acho que devemos conversar na sala.

De algum modo, ela passou por ele sem tocá-lo, mas Marcus podia sentir o cheiro de sexo nela; podia sentir o cheiro de outro homem.

Ele queria enfiar a mão na cara do sujeito. Mas Jill tinha arquitetado tudo isso, do começo ao fim. Então, em vez disso, teria que se entender com ela.

Marcus voltou pelo corredor até a sala, onde Jill esperava por ele.

Ela não parecia culpada. E, pela primeira vez, ele também não a achou bonita. Sim, ela era uma beleza clássica, alta e esguia, mas havia uma feiura estampada no rosto dela que ele nunca vira antes.

— Estou apaixonada por Rocco.

Que desculpa esfarrapada.

Diante do silêncio dele, ela continuou na defensiva:

— Você e eu sabemos que nosso relacionamento não ia dar em nada.

Finalmente, ele respondeu.

— Você disse que precisava de um tempo. Eu dei um tempo; tempo suficiente para você me trair. Com Rocco.

Os olhos de Jill se arregalaram diante da fúria mal contida na voz dele. Ele nunca tinha falado com ela assim antes, nunca fora o tipo de homem que ergue o tom de voz para impor uma opinião; nunca fazia pressão para conseguir o que queria. Conseguira chegar aonde estava trabalhando muito, sendo inteligente e usando o bom senso, jogando um pouco do charme dos Sullivan quando necessário.

— Veja bem — ela disse com um suspiro irritado, como se ele fosse o culpado por se

encontrarem naquela situação embaraçosa. — Essa coisa entre nós foi bom durante um tempo, mas, se estivéssemos realmente apaixonados, já teríamos nos casado.

Ele ergueu uma sobrancelha e respondeu de volta:

— Você sabe que eu queria me casar.

Ela balançou a cabeça.

— Se quisesse casar comigo de verdade, teria me conquistado a ponto de eu não ser capaz de resistir. Mas estava sempre ocupado com seus irmãos e irmãs, sempre ajudando sua mãe com alguma coisa. — Sendo honesta pela primeira vez, ela disse: — Tentei amar você, Marcus. De verdade, eu tentei. Mas queria algo a mais. Algo maior. Algo fantástico. Quero alguém que me coloque acima de tudo. — Os olhos dela se iluminaram enquanto dizia: — Quero o que tenho com Rocco. Não quero me sentar ao seu lado usando pérolas em eventos na vinícola. E não quero ser sempre a última coisa da sua vida.

Marcus olhou fixamente para a mulher que tinha imaginado que seria sua esposa, a mãe de seus filhos. O colar de pérolas que havia dado a ela ainda estava em seu pescoço. Era a única coisa que ela usava enquanto fazia sexo com outro homem.

Ele ainda queria meter a mão na cara de Rocco e queria arrancar as pérolas do pescoço de Jill e olhá-las espalharem-se pelo chão. Em vez disso, ele disse:

— Vou mandar minha assistente pegar minhas coisas na semana que vem. Ela entrará em contato para marcar um horário conveniente para você.

— Está vendo? — Jill caminhou até ele, o dedo firme enfiado no peito dele, o robe dela entreaberto sobre os seios.

Em outras épocas, já havia adorado aqueles seios pequenos e achava que tinham uma beleza tão clássica quanto o restante dela. Agora, eles já não lhe causavam nada; menos do que nada.

— É por isso que não posso ficar com você. Onde estão suas emoções? Onde está sua paixão? Aposto que se importa mais com suas uvas do que comigo. E tenho certeza absoluta de que se importa mais com seus irmãos e irmãs do que comigo. Esta é sua chance, Marcus! Não consegue perceber que se for embora agora, se não conseguir me dizer que pelo menos irá tentar me colocar em primeiro lugar, me perderá para sempre?

Foi então que ele se deu conta de que, apesar de toda raiva e de toda fúria por ter sido traído, não queria lutar por Jill. Tinha levado dois anos para Marcus perceber que, na verdade, não a amava. Ele amava a ideia dela, e só.

— Até logo, Jill.

Enquanto Marcus emergia de seus pensamentos mais profundos, a música mudou de um bate-estaca para uma melodia mais lenta e ritmada. Ele planejara buscar Jill para a festa de noivado de Chase e Chloe naquela noite, mas tinha ido sozinho. Que idiota havia sido, esperando dois anos para que Jill tomasse uma decisão. Esperando para que ela estivesse "pronta" para se comprometer totalmente com ele e com a vida que ele sonhara para os dois.

Marcus sabia que o amor existia. Já o tinha visto entre seu pai e sua mãe; sentia em cada olhar que Chase dava para Chloe, em cada toque entre seu irmão e a noiva.

Mesmo assim, isso não queria dizer que Marcus estava pronto para tentar de novo tão cedo. Uma boa e longa pausa longe de suas emoções e de seus planos era tudo do que precisava. Um dia ele ainda esperava encontrar uma mulher que fosse uma boa esposa para ele, uma boa companheira e uma boa mãe para os filhos que queria ter.

Mas não agora; não em um futuro próximo.

Esta noite, só queria prazer. Queria uma longa noite de sexo sem culpa e sem sentimentos, com alguém que não quisesse saber de seus desejos nem de seus sonhos. Uma mulher que não quisesse saber sobre sua família tanto quanto ele não queria saber sobre a dela. Uma mulher que apenas quisesse ir para um hotel e fazer sexo até cansar. Se não soubessem nem os nomes um do outro, seria perfeito para ele.

Os casais roçavam um no outro no ambiente escuro onde suor, álcool e sexo se misturavam. Marcus caminhou ainda mais para dentro na escuridão, até ficar parado em um ponto alto observando a pista de dança e analisando a multidão com olhos clínicos.

Nicole Harding está em pé na janela da suíte de sua cobertura olhando para a Union Square em São Francisco, observando as pessoas caminhando lá embaixo.

Ela era jovem e solteira. Deveria estar lá fora com eles. Seis meses atrás, ela estava jantando em algum restaurante da moda, cercada por bajuladores tentando fazê-la rir, tentando fazê-la gostar deles. No entanto, aprendera, da pior maneira possível, que não era ela por quem estavam interessados.

Nicole Harding, que gostava de jogar Banco Imobiliário e fazer castelos de areia, era uma pessoa desinteressante. Todos queriam uma parte de Nico; queriam dizer que estavam saindo com uma celebridade. Queriam tirar fotos dela com o celular para depois passarem mensagens de texto aos amigos.

Ela se afastou da janela e virou-se de volta para a enorme suíte. Era muito grande para uma pessoa só, mas a gravadora achava que colocá-la em um lugar como esse para gravar um vídeo e fazer um show significava tratá-la bem. Ninguém podia imaginar o quanto se sentia sozinha; uma mulher pequena em uma suíte gigantesca que poderia acomodar sua família inteira e ainda sobraria espaço.

E a verdade era que, se fosse uma estranha lendo notícias sobre ela, certamente nunca pensaria na palavra solidão para descrevê-la. Uma baladeira seria a palavra mais apropriada. Pois, de alguma forma, a cada evento ela era fotografada com um homem famoso diferente. Acordava de manhã e ligava o computador para descobrir que diziam que estava, sistematicamente, subindo ao topo da lista do Top 40 e conquistando Hollywood porque dormia com todo mundo.

Sua gravadora, as pessoas de Relações Públicas, assim como seus agentes haviam dito tantas vezes que "qualquer publicidade é boa", que ela tinha parado de protestar sua inocência diante deles. Além disso, sabia que não acreditavam nela, não depois de verem as fotos que vazaram na internet depois das Festas do ano anterior, fotos horríveis que ainda pareciam surgir do nada, cada vez que ela pensava que tinham sido finalmente enterradas.

Depois de trabalhar quase 24 horas por dia durante anos tentando fazer as pessoas ouvirem sua música, tinha ficado muito feliz ao ver seu trabalho dar frutos, com seu primeiro sucesso no verão passado.

Embora todos tivessem avisado que, se não fosse cuidadosa, esse negócio iria sugar até sua última gota de sangue, achou que fosse ser diferente para ela, que fosse esperta o bastante para cercar-se só de pessoas boas.

Até o dia em que confiou na pessoa errada.

No início, Kenny fora tão encantador e tão meigo que se apaixonou loucamente por ele. No entanto, ele usava as emoções como moeda de troca, fazendo Nicole perceber que a única maneira de mantê-lo feliz — e ter certeza de que a amava — era fazendo concessões às vontades dele.

Que burra!

Desde então, mais de mil vezes, não, mais de um milhão de vezes, ela havia se perguntado como pôde ter sido tão ingênua. Ingênua a ponto de ter ficado completamente chocada quando ele vendeu sua história sobre as noites selvagens com a estrela pop, recheada de fotos que havia tirado dela no celular, em segredo.

Bem, aprendera a lição. Com certeza.

Nunca mais confiaria em alguém com tanta facilidade, especialmente em homens belos e persuasivos.

Nicole deu uma olhada no espelho de corpo inteiro na parede da sala e viu-se em calças de ginástica e camiseta. Ah, mas que bela baladeira que era! Depois de um dia exaustivo ensaiando a coreografia para o vídeo que gravariam na sexta-feira, seu grande plano incluía assistir à maratona Laverne & Shirley na TV a cabo, debaixo das cobertas.

A campainha da porta tocou e ela notou que havia se esquecido do sorvete que pedira ao serviço de quarto. Numa noite como esta, simplesmente não tinha energia para se importar que o funcionário do hotel a visse sem maquiagem e que, logo depois, fosse ao Twitter para contar ao mundo.

Sem a menor sombra de dúvida, sorvete de chocolate era sua última esperança nesta noite.

Ela abriu a porta.

— Oi.

O rapaz olhou para ela e então, literalmente, olhou por cima dos seus ombros, procurando pela verdadeira Nico. Finalmente olhou de volta para ela, o rosto se contorcendo numa tentativa de reconhecê-la enquanto olhava.

— Aqui está seu pedido, Nico.

Deu um passo para o lado para que ele pudesse empurrar o carrinho com a bandeja, ainda que pudesse ter pegado o pote de sorvete com a maior facilidade.

— É exatamente a marca que pediu. Meio litro.

— Obrigada. — Pegou a caneta que ele lhe ofereceu para assinar o recibo e sentiu, como raios laser, os olhos do rapaz em seu traseiro dentro da confortável calça de ginástica. Durante os últimos dez anos, vinha sentindo os olhos de um homem após o outro, desde que, uma bela manhã, acordara munida de seios e quadris.

Ela não se importava com o olhar malicioso. O que a irritava eram os pensamentos que vinham com ele; só porque ela tinha o P&B que fazia os homens babarem, não queria dizer que iria para a cama com eles indiscriminadamente.

Ela não era uma vagabunda, não importa o que o mundo pensasse.

Foi devolver a caneta, mas o rapaz estava muito ocupado olhando provocativamente para seu peito e não percebeu.

Nicole sempre fazia questão de ser agradável com os funcionários de qualquer lugar onde estivesse. Não fazia tanto tempo que ela mesma servia mesas e limpava quartos de hotel enquanto esperava ser "descoberta".

Esta noite ela estava longe de querer ser agradável.

— Aqui está. — Ela enfiou a caneta na mão do rapaz, foi até a porta e abriu-a para ele.

O rapaz moveu-se vagarosamente até a porta, enquanto ela contava os segundos para que saísse, quando ele falou: — Está sozinha esta noite?

Puxa vida! Será que tinha que passar por essa situação desagradável só para conseguir tomar um sorvete?

— Já tenho planos, obrigada. — Ele assentiu, mas ela não gostou do que viu nos olhos dele. — Meu namorado chegará daqui a pouco — ela mentiu.

— Bem, se precisar de companhia mais tarde...

Passara dos limites e ela não hesitou em bater a porta na cara dele. Depois de fechar o trinco, ela resmungou: — Canalha.

O pote de sorvete já estava começando a suar sobre o grande carrinho prateado, mas a vontade dela tinha passado.

Não era justo. O mundo inteiro achava que ela era uma vagabunda, quando, na realidade, só havia feito sexo com dois caras. Brad, do segundo colegial, no banco de trás do carro do pai dele. E depois Kenny, porque pensou que eles se amassem.

Pior ainda, nenhum de seus ex-amantes tinham sido grande coisa. Brad ela podia perdoar, pois tinha sido a primeira vez para os dois e o local fora horrível. Mas Kenny, ela finalmente percebera, simplesmente não tinha se importado em fazê-la sentir-se bem. Ele fora egoísta o tempo todo e ela alimentara esse sentimento, tentando agradá-lo constantemente para que ele a amasse mais.

Se pelo menos algum dia tivesse conhecido algo próximo de um prazer de verdade, talvez não ficasse tão ressentida sobre sua reputação. Talvez, então, pudesse ser digna dela. Ou talvez pudesse realmente se sentir a mulher sexy que representava na capa de seus discos e em seus vídeos de música. Ou, talvez, não tivesse feito Lori, sua coreógrafa, ficar até tão tarde da noite com ela, muito além do normal, quando deveria tê-la deixado ir embora para ir à festa de noivado de seu irmão.

De repente, um impulso maluco tomou conta dela: já que nunca conseguiria se livrar de sua reputação, que tal sair e realmente fazer jus a ela?

Nicole sempre fora impulsiva, desde criança. Os relatórios escolares sempre diziam a mesma coisa: "Nicole é uma garota inteligente, mas às vezes age sem pensar".

Tudo bem, ela pensou enquanto jogava várias peças de roupa sobre a cama e tentava achar o que cairia melhor para o objetivo que tinha esta noite: provar que aprendera a lição sobre confiar em canalhas. Obviamente que ela um dia queria amor. Amor fiel e verdadeiro.

No entanto, estava cansada de viver como uma freira, cansada de, a toda hora, tentar convencer as pessoas de que não era uma baladeira, mesmo quando todos achavam que era.

Ela queria saber, só por uma noite, o motivo de tanta falação. Queria encontrar um homem para dividir suas paixões, um homem de verdade, com experiência suficiente para levá-la a um lugar onde nunca estivera antes.

Seu coração batia forte enquanto tirava a calça de ginástica e a camiseta e se enfiava em um curto vestido tomara que caia de couro. Um movimento errado para qualquer direção e o P&B pelo qual era tão conhecida escaparia para o mundo todo ver.

No entanto, de repente, Nicole não ligava mais para nada. Qualquer coisa seria melhor do que aquela solidão devastadora.

Quer dizer que sairia na capa de outro tabloide? Grande coisa. Como se nunca tivesse acontecido isso antes. E ela havia sobrevivido. A quase tudo, de qualquer maneira.